ボーダレス

BORDERLESS

「世界で生きる」は、こんなにも面白い！

安倉宏明
HIROAKI YASUKURA
ICONIC代表

スタブロブックス

ボーダレス
BORDERLESS
「世界で生きる」は、こんなにも面白い！
安倉宏明
HIROAKI YASUKURA
ICONIC代表
スタブロブックス

「世界で生きる」は、こんなにも面白い！　ボーダーレス

BORDERLESS

目次

プロローグ 社会にインパクトを与えられる人間になりたい

第1章 そうだ、ベトナムへ行こう!

第2章 ベトナムでの起業前夜

第3章 人材ビジネスの立ち上げ

第4章 多拠点戦略

第5章 アセアン随一の人材マネジメント会社に

第6章 組織崩壊

装丁　トサカデザイン（戸倉巌、小酒保子）
本文デザイン・図版　matt's work（松好那名）
校正　株式会社ぷれす

プロローグ

BORDERLESS

社会にインパクトを
与えられる人間になりたい

何かを目指していた。

それが何かわからないけど、何かになりたかった。

大学に入学して1か月、ぼくは早くも焦っていた。

なんか違う。

思っていた大学生活ではない。

もっと華やかで毎日が刺激に満ちて成長して、何者かになれる場所だと思っていた。

焦ったぼくは、高校から続けていたサッカーをやり直すのはどうかと体育会サッカー部に入部。

インカレにも出場するレベルのサッカー部で、ただのサッカー小僧には刺激的だった。

が、1年が経とうとする頃には、この場では活躍できない自分を理解し、退部。

ひとつの、挫折だった。

今でもサッカーをやっていた当時を夢に見る。

夢の中でサッカーをするぼくはいつもうまくいかず、悶絶しているのだ。

うまく蹴れない、うまく守れない。

サッカーをやめたぼくが始めたのが音楽。

ギターで曲をつくり、バンドを結成した。

一人で弾き語りをするためにバーに通っていた時期もある。

2年ほど活動したが、気づいた。

才能がない。

プロとしてやっていきたい情熱もない。

音楽をやめよう。

ぼくは何者なのだ？

そう思い始めていたとき、ふと思い立ったのが、海外だった。

そうだ、ぼくは海外に行きたいんだ。

英語を話せるようになりたかったんだ。


気づいたら、知らない世界に身を投じることに興味をもっていた。

中学生のとき、有志で行くオーストラリアホームステイ2週間の旅があるのを知った瞬間、「絶対行きたい」と思った。家族での海外旅行なども一度も経験したことはなかった。

知らない世界があるのならそこに身を投じたい。

初めて乗る飛行機が離陸する瞬間、興奮のあまり息が止まりそうだったのを昨日のように覚えている。

オーストラリアのメルボルンに着いたとき、「外国人ってやっぱり本当にいるんだ」と思った。

反抗期だった高校時代、学校を辞めて海外の高校に留学するべく親と交渉したこともあった。自分の意志が弱く挫折したが、今でも後悔していることのひとつだ。


日本で、なんとなく大学生活を過ごしていたときに蘇ってきた過去の記憶。

ぼくは海外に行きたかったんだ。

知らない世界を見たかったんだ。

知らない土地で知らない人たちと触れ合い、刺激に満ちた生活を送るんだった。

ではどこへ行く？

それはやっぱり、ニューヨークでしょ。

そんな謎の自己認識によりニューヨークへ。

飛行機のチケットを取り、一人ニューヨークに1か月ほど滞在した。

マンハッタン、タイムズスクエア、ハーレム、自由の女神……。

何者でもない自分には刺激的な魅惑の街ニューヨーク。

ワールドトレードセンターにも上ったのだった。

そう、あのワールドトレードセンター。

その半年後、まさか崩壊するとも知らずに街を満喫していた。

テレビの画面越しに映る、崩れゆくワールドトレードセンターを見て、人生の儚さ、社会の危うさを痛感した。

ぼくは何者なのだろう。

わからない。

でも、心の声を聞くと、知らない場所で知らない人たちと関わってみたい——そんな海外に対する好奇心が消えないのだ。


音楽をやめたとき、もっと長期で海外を経験してみたいと思った。

イギリスへ行ってみよう。

イギリスの大学で学んでみよう。

ぼくはリーズ大学に留学する切符を手に入れた。

また一人、イングランド北部ウエスト・ヨークシャー州の中心都市リーズに向かった。

マンチェスターと並び産業革命を牽引したリーズは古くから繊維業で栄えた街だった。

隣には古都ヨークもある。

イギリスの大学に留学したら何かを得られるかもしれない。

そんな淡い期待と好奇心に導かれ、やって来たリーズでの生活で感じたこと。

それは……「ぼくは何者なのだろう」

やはり見えないのだ。

何に挑戦したいのか？

何を成し遂げたいのか？

わからない。

しかし、ひとつだけ言えること。

それは、海外の知らない場所で見ず知らずの人と日本語以外の言葉で語り文化を感じるのは楽しいし、ワクワクするということ。

自分が何者かはわからないけど、純粋に楽しい。

アウェイでがんばる自分が好きなのか、単に異文化が好きなのかはわからない。

しかし、心の声はいつだってワクワクしているのだ。

イギリスからの帰国後、待っていたのは就職活動。

1年ぶりに戻ってきた日本は景気の低迷が続き、相変わらずの様相を呈していた。

そして自分も相変わらず何者で何がしたいのかもわからなかった。

そんなとき、1冊の書籍と出合った。

ピーター F. ドラッカーの『イノベーションと企業家精神』。

社会をつくっているのは事業であり産業であり、それらを始めたのが起業家である。彼らのチャレンジが新たなサービスや商品を生み、イノベーションを興した結果、社会は発展している――そんな趣旨の内容だった。

ぼくは衝撃を受けた。

社会に出ると就職して会社員になり、その会社には頭をペコペコ下げる営業マンがいて……ダサいけど、それが社会のしくみだと思っていた。

ところがドラッカーが示唆していたのは、会社は事業であり、事業が社会をつくるということ。

そしてその事業を始めた起業家こそがイノベーションを牽引しているということ。

ぼくは、勝手に解釈した。

「起業家が世界でいちばんカッコいい」

何者でもなかった自分が見つけた何か。

それが、起業家だったのだ。

イギリスから帰ってきて英語かぶれの自分だったが、海外事業に携われるとか海外を飛び回れるとかいった職種や業種の優先順位は2番目以降に繰り下げられ、就職先は「起業家になれそうな会社」を最優先で選択することにした。そして中堅・中小企業向けにコンサルティングをしている会社に決めた。

起業家への道。

世界への道。

おぼろげながらも、自らの方向性をもがきながら見つけた。
いまだヒントでしかなく、何も見えていない。
ただ一条の光が見えただけだった。

第 1 章

BORDERLESS

そうだ、
ベトナムへ行こう!

豆腐屋

社会人1年目、起業家への道を歩き始めた。

何者でもないぼくは、起業家になるという思いを胸に社会人となった。

入社を決めたコンサルティング会社は営業力が強いと評判で、出身者に経営者が多くいるらしいと聞いていた。

ビジネスの中身はよくわからないが、どうやらフランチャイズのしくみを全国チェーンとして広げるのが強いとだけは理解していた。当時一斉を風靡した焼肉チェーンや中古車買取専門店なども支援先だった。

ところが、コンサルタントとして華々しく事業を牽引するんだ！　と意気込んでいた1年目、配属された先は「豆腐屋」だった。

しかも大きな店をつくるのではなく、一坪の売り場を間借りして豆腐を売っていただくビジネスモデル。東京に出てきてカッコよくコンサルタントになれると思っていた自分の前途に早くも暗雲が立ち込めた。

入社までに面接を受けた場所は大阪。しかもビジネス・オフィスとして名高い堂島アバンザを経由していたので、まさか本社が浅草の片隅にある中小規模のビルだとは思わなかった。

さらに入社早々、社長から直々に「現在、我が社は経営危機です！」と号令がかかるほどの経営状況。前年の新入社員数150名程度に対して自分たちの代は30名。3か月の研修期間後にはすでに20名強となっていた。

いわゆるブラック企業だったのだ。

毎日の会議が予定されている時間は午後10時。会議を終え議事録を書き終えた頃には終電はなく、会社に泊まるのもあたり前という環境。新入社員の同期が失踪した話をよく耳にする状態だった。

そのうえで、任されたミッションが豆腐屋チェーンの構築と拡大。

はっきりと思った。

心から興味がもてない。

豆腐はどうでもいい。

提供しているサービスや中身はそれほど関係ないと思い入社したものの、さすがに1丁100円の豆腐を売るチェーンを構築する商売には興味を抱けない。

ソフトバンクグループの孫社長が豆腐を1丁、2丁と数えるように1兆、2兆の売上規模の会社をつくるんだ！　と創業時にミカン箱に乗って話したストーリーは有名だが、自分は本当に1丁、2丁と豆腐を数えている。

絶望的な環境だ。

しかしその実、それでも楽しかった。クソみたいな労働環境で、興味のないビジネスをしていたけど楽しかった。

起業家になりたい思いを胸に抱いていたからではあるが、やっていくうちに豆腐屋のビジネス云々はどうでもよくなり、今この瞬間を全力で生きる高揚感に包まれていたからだ。

そして、同じような仲間に囲まれていたからだと思う。

役者が各々の役を全力で演じるように、ぼくたちビジネスパーソンも、まずは打席に立ったことに全精力を注ぎ込む。その先に何があるかなんて知らない。今この瞬間に全力を捧げる仲間や上司がいて、ぼくもそこに没頭したのだった。

正直、先のことは不安だった。

このまま豆腐屋の事業をつくっても起業家になれるとは思えないし、何のスキルがつくのかも不明だった。しかし、「決めた以上、まずやり切るんだ」との思いで全力疾走した。

前提を疑う

気づけば2006年、新卒で入社して3年目にあたる年を迎えていた。

全力でやり切る一方、会社で働くのは3年間という期限を切っていた。いよいよ自分の起業プランを考えなければならない。

当時のぼくは、相変わらずフランチャイズ本部の事業を立ち上げるべく商品企画やクレーム対応に追われる日々を過ごしていた。だから自身の起業のために時間と頭を使えていない日々に悶々としていた。

空いた時間に書店に行き、事業計画の立て方のような本を読んでもイメージが湧いてこない。そんな焦りからか、本気で起業家になるんだ！　事業を興して社会にインパクトを与えるんだ！　と奮起し、自身に発破をかけていた。

一方で社会には鬱々とした雰囲気が漂っていたのを覚えている。

当時はｉＰｈｏｎｅがデビューする前でインターネットといえばＰＣ。２００６年1月16日にライブドアが証券取引法違反の容疑で強制捜索を受け、翌1月17日の株式市場の大暴落へとつながった、いわゆるライブドア・ショックがあった年明けだった。なんとなく起業家やベンチャーが怪しいとか、失われた20年なんて言葉が出始めた頃だったと記憶している。

またニュースでは団塊の世代が60歳の定年を迎え労働人口が減っていくと報じられていた。少子化が進んだ結果、労働人口だけでなく総人口も今後数年でピークを迎え減少に転じるのは確定していた。少子高齢化のような重要事項に対しても抜本的な政策を打たないでいた政治も日本の未来のなさを表しているようだった。

そもそも人口が減っていく社会で閉鎖的に日本国内だけで事業を展開してもダメなのではないか？　この状況を打破するためにはイノベーションを起こして新たな産業を創出する

か、世界のマーケットを獲りにいくグローバル戦略を敷くか、この2択しかないと考えるようになっていった。

一方で当時交際していた彼女（現在の妻）はアフリカが好きでウガンダで勤務していた。明るく後先を考えない彼女は、国際電話で「ウガンダ楽しいよー！　アフリカでビジネスしてみたら？ｗ」と軽口を叩いてくる。

そうやって海外というキーワードが日常だったぼくは、ある日ふと思いついたのだった。

日本人だからといって日本で事業を興さなければならないわけではない――と。

世界に日本のマーケットを広げていく、世界の人により日本に来てもらうなど、さまざまなかたちでグローバルマーケットを獲りにいくのが日本の成長戦略にとっての重要テーマだ。

ならば、自分がその領域で事業を興してみよう！　と思うようになっていたのだった。

ではどうしよう？

これから人口が増加し、一人あたりの所得も増えていく荒野に足を踏み入れたらチャンスがあるし、何より面白そうだ。そんな思いつきから、半年前に参加したベトナムのビジネスツアーが脳裏をよぎった。

「そうだ、ベトナムへ行こう」

雷が落ちた瞬間だった。

いつも通う浅草の田原町本社ビルから雷門通りを抜けて言問通りに向かう帰路で思い立ったのだった。まさに雷門通りで頭に雷が落ちたかのような衝撃だった。

ぼくはなぜ、〝日本〟で起業しようと決めつけていたのか？

日本人が事業を始めるのに、日本国内でという先入観にとらわれているのはなぜか？

理由はない。

それが前提となっているからだけだ。前提を疑わないからだ。

ぼくは大学の頃にニューヨークに渡って衝撃を受け、さらにイギリスの大学に留学していた元国際派ではないか！　こんな勘違いから前提を疑い始めたのだ。

未来への扉

ベトナムで何かできるのではないか？

当時のベトナムは平均年齢20代、人口は毎年１００万人増加中、ＧＤＰは６～８％と成長真っ只中の国だった。

その未知なる国の可能性に、２００６年9月中旬、当時勤務していたオフィスのある浅草の雷門通りを歩いていたときに気づいたのだった。

体の中から溢れてくる情熱、頭の中に雷が落ちたかのようなあの感覚を今でも思い出す。


何をやるかは決まってない。

会社を経営した経験もない。

営業マンとしての実績もない。

部下を持った経験もない。

ベトナムでの人脈もない。

メンターもいない。

お金も大してない。

投資家もいない。

とにもかくにも何もない……。

あるのは、ベトナムという地で事業を立ち上げるのだ！　という情熱のみ。


思い立ったその瞬間が行動を起こすチャンスだ。すぐ直属の上司に退職の意思を告げた。

そしてベトナムに関する唯一の手がかりだった、ベトナムビジネスツアーを企画した会社の代表の方にお願いして、期間限定で働かせてもらうことになった。

とはいえその会社でやることは何も決まっていなかった。

それでもとにかく世界に出なければ、ベトナムに行かなければ、そんな衝動に駆られて行動しただけだった。

夢と希望を胸にホーチミンでの生活が始まろうとしているが、それ以外は何ひとつ決まっていない。そして何も持っていない。社会人としての3年の経験は、豆腐や食品のフランチャイズチェーンの一部業務を回したことだけ。

不安だった。

でもそれ以上に、未来への扉が開かれる期待に胸が高鳴るのであった。

第 2 章

BORDERLESS

ベトナムでの
起業前夜

空回りする日々

2007年2月3日、ぼくはホーチミンのタンソンニャット空港に降り立った。大洪水のごとく押し寄せるノーヘルのバイク集団が、排気ガスまみれの空気をかき混ぜ、塵と埃が舞う。ヌックマムの香りが、汚れた空気と強い日差しと相まって東南アジアにやって来た感情を掻き立てた。

ここから俺の新たな人生がスタートするんだ——そんな強い思いでホーチミンの地に足を踏み下ろした。

ベトナムで起業する。その思いを胸にしていたぼくは、意気揚々としながらも少しの不安を抱えていた。

とはいえ取り急ぎやることといえば、当面は知人の会社のお手伝い。まずはベトナムに慣れねばと、会社のサッカークラブで仲間との交流を深めたり、ホーチミン市人文社会科学大学などの大学で開かれている日本語クラブに通ったりする日々が始まった。

知人の会社には、既存事業の業務担当で入社したわけではなかったので、来てみてわかったけれどやることがない。ベトナムで活躍するんだ！　と息まいていたものの、上司からの指示といえば、とりあえず会社概要を抱え、売るサービスや商品もほとんど固まっていないなかで営業することだった。

そもそも営業をほぼしたことのない自分が、誰に教えられるでもなくアポを取り、会社概要を説明しに行く。そして何かのビジネスの種を見つけてくる。そんなつかみどころのない日々が続いた。

威勢よくベトナムに来たあと、仕事で成果を上げられない日々が続いたことが最初の関門となった。雲をつかむような話ばかりで実際には何もやれていない。それでも大口叩いてベトナムに来た限りは何もできずに帰国はできないと、がむしゃらに営業訪問を繰り返した。

当時、所属させてもらっていた会社のベトナム現地向けのサービス内容が固まっていなかったことから、営業訪問を重ねても具体的な案件につながらないのだ。

ベトナムという新興国に志をもってやって来たにもかかわらず、何もできていない自分。

新興国は物価が安く住みやすい反面、自身の給料も3分の1ほどに下がった。

ただ現実には、物事が何も進まない。焦っていても仕方がないが、何も好転しない。

2007年当時、20代中盤の同年代ビジネスパーソンや起業家の友人はほぼおらず、孤独を感じることが多かった。営業先で出会ったある年上の駐在員の方からは、明らかに蔑むように、「君みたいな若い子がベトナムにまで下ってきて何するの？」といった趣旨の言葉を投げかけられた。

ぼくとしては、新興国という荒野を開拓するアントレプレナーシップをもっていたつもりだった。しかし、どうやら海外でビジネスをする日本人にとって、東南アジアの弱小国のひとつであるベトナムでの起業は、少なくとも当時はまだ出世街道ではなかったらしい。

その頃、何もかたちが決まっていないなかで飛び込んだベトナムで立ち往生している様子を、すべては伝えていないものの心配で連絡をくれた母親に説明し、少し弱音を吐いたことがある。その話を聞いたのか父親からは、心配するからこその親心だとは理解できるが、「くだらない活動をベトナムでしているくらいなら、さっさと日本に帰ってこい!」と叱咤されひどく落ち込んだりもした。

そんな悔しい気持ちを抑えながら、なんとかかたちあるプロジェクトを立ち上げ、商品かサービスの開発をスタートさせたいと思っていた。

洗礼

ようやく3か月ほどしてプロジェクトが動き始めた。

ベトナムの企業を日本に紹介する書籍を刊行するべく企業出版の企画が持ち上がったのだ。スポンサー探しを兼ねたベトナム企業の営業開拓という目的ができ、動き出すことになった。

ベトナム人のアシスタントもいない状態で企業開拓が始まった。インターネットで営業先を洗いざらい探してリスト化し、日本から来た書籍出版の提案メールを代表宛てにひたすら英語で送りつけ、猛烈にアポを取りまくった。

当時のベトナムはインターネット回線が細く、通信環境が劣悪だったため、雨が降ったり日中になったりするとひどく遅延し、送信ボックスに送信待ちのメールがひたすら溜まった。それでも結果的にホーチミンに始まりハノイもあわせて9か月間で約300社、企業出版の企画提案前の営業もあわせると400社以上の訪問を繰り返し、ベトナムの中にどっぷり浸かっていった。

無謀なアポを取っていくなかで、零細企業だけでなく、大手建設会社の会長、当時有名だったITベンチャー起業家のインタビューを取りつけることにも成功した。

来る日も来る日も、ベトナム人経営者に企画を提案し、原稿を提出してもらうやり取りを繰り返した。

多くの場合、訪問先は超零細企業で英語がほぼ通じなかったが、屈託のない笑顔の社長が迎えてくれたり、担当者の方がもの珍しく対応してくれたりした。

ぼくは片言のベトナム語であいさつし、中身は英語で説明した。日本人もしくは日本企業というだけで信用してくれたのは、ぼくたちの先人が築いてくれた遺産だろう。名もなき日本企業の怪しげな出版企画に賛同してくれて、目標の50社に着々と近づいていった。

そんなある日、異国の地の洗礼を受ける出来事を経験した。

縫製企業から申込書を回収してベトナム人スタッフのバイクの後ろに乗せてもらい帰社している最中、後ろから近づいてきたバイクの男に膝の上に置いていた鞄を奪い去られたのだ。幸い転倒はまぬがれ怪我をせずに済んだけど、改めて日本に居るのではない事実を思い知らされた。

またあるときには、新興国のダイナミズムを経験することになった。いつものようにアポ先に訪問した際、一度目の面談にもかかわらず大会議室に通されると、10人程度がズラリと一堂に会していたのだ。

その訪問先はベトナム建設業界のトップ企業であり、目の前に並んでいたのはおそらく役員と思われる人たちだった。経営者慣れしていない当時のぼくは緊張したし、そんなに大した提案があるわけでもなく恐縮した気持ちになったものだった。

それでも、ベトナム人の経営者たちはみな前向きな人たちばかりだった。「日本の人たちに知ってもらえるのなら」と提案に乗り気で、見込み客の獲得から最終的に20％程度の確率で案件化に成功した。

ビジネスの種

当時のぼくの営業スキルといえば、豆腐屋ビジネスをしていた日本時代に研修で少しかじった程度。ベトナムに来てからも、誰に教わるのでもなく見よう見まねの営業だったが、どうやら天性の才能があったのかもしれない。

という自惚れは脇に置いておくとしても、日々の営業活動と同時に、ベトナムの現地企業を訪問するなかでヒントを得ながら起業のアイディアをひねり出していた。

美容品の輸入販売
エステ
日本語新聞
フリーペーパー
フランチャイズビジネスのベトナムへの斡旋
カツ丼屋……

などなど100以上書き出した記憶がある。
そんな日々のなか、書籍の企画で出会った二人のベトナム人経営者の話がヒントとなり、自身の起業へとつながっていったのだった。
企業出版の企画で300社以上を訪問し、結果的に100社弱の参加を獲得できた。その中の1社が、元日系ゼネコンで働いていた技術者が立ち上げた内装・家具の会社だった。

あるとき、そのベトナム人経営者の彼から「日本向けに製作する家具の輸出を企てている。そのために品質管理や営業ができる日本人がいてくれたらいいのだが、誰か紹介してくれないか」と尋ねられたのだった。日本人の技術者やビジネスパーソンを求めるベトナム企業が存在するとのニーズを知った瞬間だった。

目指せ鉄道王

そもそも、「社会にインパクトを与えるんだ」との思いで起業家を志した。

社会に影響を及ぼすためにはどうすればいいのだろう？　この問いをもち続けた先の答えのひとつが、「社会のインフラ」を生み出すことだった。

単純なぼくが、ベトナムに行こうと思い立った際に描いた事業アイディア×社会インフラがこれだ。

「俺は鉄道王になる！」

どこかの海賊ばりのイメージだ。

本気で鉄道王になれるかどうかはわからないが、鉄道を引くほどのインパクトをもたらしたい。

関西の大学出身のぼくは、「鉄道王」と聞いてイメージするのが小林一三だった。小林一三は梅田駅を中心に阪急電鉄を興すに留まらず、住宅地の宅地開発、阪急百貨店や宝塚歌劇団といった文化・生活に根ざした事業を展開した実業家の鑑。鉄道を中心に世界でも稀に見る事業モデルである日本独特の私鉄事業会社へと成長させた。そんな小林一三に憧れを抱いていたのだった。

そこで試しに鉄道の建設費用を調べてみると、1メートルの線路を引くために1000万円ほどかかるとわかった。

ぼくは事業資金のため新卒1年目から年間100万円、3年間で300万円貯金していた。つまり「30センチしか線路を引けないのか……」となり、鉄道王になる夢を即行で断念していたのだった。

海賊王にもなれなければ鉄道王にもなれないが、社会のインフラになるような事業を興す夢だけは途絶えていない。そんななかで出会ったのが前述のベトナム人経営者だったのだ。

「人こそが社会の発展の肝なのかもしれない」

自分は27歳の若造であり、技術もマネジメント能力ももち合わせていない。

だけど企業が求める人材を集めることはできるのではないだろうか？

少なくともそうした日本人を集めてベトナムに来てもらうことならできるのではないだろうか？

日本人の高度技術者やビジネスパーソンをベトナムに招き、この国で活躍してもらう。そうすれば、当時問題となっていた団塊世代の定年問題にともなう第2の就職口を生み出せるばかりか、ベトナムの国家発展にも寄与できる。

人と人が集まって社会となり、人が働くことによって社会に価値は生まれる。

人材ビジネスというのは、まさに社会のインフラととらえられるのではないだろうか？

そんな熱い思いが湧いてきたのだった。

かくして、創業第1の事業モデルは「ベトナム国内向けの日本人特化型人材紹介事業」で決定したのだった。

その頃には、２００７年も終えようとしていた。

孤独

この1年間、がむしゃらに走り続け、考え続けた一方で、心の中は孤独だった。

心の内を相談して共感してもらえる友人もいなければ、頻繁に飲みに行く相手もいなかった。周りと自分の境遇が圧倒的に違いすぎたからだと思う。

また2007年当時は、ベトナムという国だけでなく、ベトナム在住日本人社会も未熟だった。

人脈がほぼ皆無だったなか、頼りにしていた唯一の方から脅されたりもした。ビジネスモデルが固まり始めていたのでその方に相談したところ、彼の友人が同様のモデルで事業を営んでいるとのことで「お前はやるな」と怒鳴られたのだ。「もし続けるなら、ベトナムには居られないようになるかもな」と、脅迫じみた言葉を突きつけられたりもした。

こういう人間にはなりたくない、と心の底から思った。そんなことを言われる筋合いがどこにあるのか？　なんの権利があってそんなことを言うのか？　理解に苦しんだ。

ただ、ぼくはそうした発言に屈するのではなく、逆に力に変えるたちだ。「こんなやつには絶対負けまい」と誓ったのを、今でも思い出す。

第 3 章

BORDERLESS

人材ビジネスの立ち上げ

プロポーズ

2008年2月、テト（ベトナムの旧正月）に横浜で結婚式を挙げた。刺すような日差しの中で生活していたホーチミンから、真冬の日本へ。当日は小雪が舞うほど底冷えのする日で、式を挙げた室外の庭園は薄着のウェディング衣装にはこたえた。

新卒で同期入社した彼女は、ぼくがベトナムに渡る前に先立ってアフリカのウガンダに行っていた。彼女は子どもの頃からアフリカが好きで、将来はアフリカに関わる仕事がしたいと考えていた。実際、初めての単身海外旅行はカメルーンで、2000年頃にたった一人で1か月間、あてもなく旅したらしい。なんて激しい女性だ。

その後、ケニアで半年間、NPOのインターンとして働いた経験もある。

そんな彼女は大学卒業後、単に国際協力の分野で働くのではなく、より国際貢献できると考えたビジネスを学ぶべく民間の会社に入社したのだった。

そこでぼくたちは出会った。

出会った当初から、ぼくは近い将来起業すると彼女に伝えていた。

同じく彼女からも、将来アフリカで働きたいと伝えられていた。

先のことを考えても仕方がないが、どこでどう結ばれるかわからない。人というのは本当に不思議な縁で生かされている気さえする。

内定した頃からなんとなく仲が良かった気がするが、たまたま配属された部署が同じ。彼女はフランチャイズの加盟を促進する営業開発。ぼくはフランチャイズの運営を担うバック担当。プライベートでも常に仕事のことで衝突していたが、とくに仲が悪くなることはなかった。

同僚としての日々が1年ほど過ぎた頃だった。活躍していた彼女は入社2年目の春に突然、「私は海外に関わる仕事がしたい!」と言い始め、フランスのコンサル会社へと転職していった。

それからまた1年経った頃に突然、「やっぱり私はアフリカに関わる仕事がしたい!」と言い残し、ウガンダへと旅立っていったのだった。

インターネット環境の悪いアフリカにいる彼女と話をするために、国際電話の料金が月に20万円になったときは度肝を抜かれた。アフリカの話を聞いているうちに、いつの間にかぼくも日本だけで戦う発想が抜けていったのだと思う。

あるとき、いつものように国際電話で話している最中、ぼくは彼女にこうつぶやいた。

「ベトナムで事業を興そうと思う」

すると彼女は、

「いいじゃん！」と即座に反応する。

ぼくは聞き返した。

「君はどうするの？」

「私もベトナム行くよー」

彼女が間髪を容れずに返答したその瞬間、想定していなかった言葉がとっさに出た。

「じゃあ、結婚しようか」

用意周到に準備されたプロポーズを幼少の頃から思い描いていた彼女にとって、国際電話でまさかの勢いでプロポーズされるとは思っていなかったようだった。嬉しさと腹立たしさが混じったような反応で、涙交じりに「いいけどなんかムードない！」と怒っていた。

人生最強のアウェイ

彼女と国際電話でやり取りをしていた2007年1月、ぼくはウガンダ・カンパラの国際空港に到着した。

電話でのプロポーズを挽回する目的が半分、いまだ見ぬ大地に立つ好奇心とアフリカの現状を感じる目的が半分、そんな感じだった。

ドバイ経由エチオピア止まりの2回の経由を経て25時間かかった。

初めてのサブサハラはどんなものか？

期待と興奮は25時間の長時間フライトの疲れも吹き飛ばすものだった。

長いフライトの末、着陸する間際に機内から見えるその景色は、ぼくの期待を裏切らなかった。

そこには、真っ青の空に赤土の大地が広がっていた。

ここがアフリカか。日本でもなく、アメリカでも、ヨーロッパでも、東南アジアでもなく、アフリカだ……そんな高まる期待を胸に飛行機から降りると、それ以上に衝撃を受けることが待ち受けていた。

ターミナルにかけられる直接の出入口があるわけでもなく、ターミナル行きのバスもなく、もっといえば自分たちが乗っていた機体以外の飛行機が飛行場にない。

「えっと……」

戸惑うぼくとは違い、周りのアフリカ人たちは一方向に歩き始めていた。１００メートルほど先の掘っ建て小屋のような平屋のターミナルに向かっていたのだ。ウガンダ共和国の首都カンパラのメイン国際空港は、さながら田舎のバスターミナルのような雰囲気だった。

「なんかワクワクしてきたぞ」

飛行機の窓から見えていた赤土の大地に降り立った感覚と、人類発祥の地である歴史的な事実がぼくのフロンティア精神を掻き立てた。

空港に到着した瞬間に気づいたが、99％以上が黒人だった。アジア系の顔をした人は一人もおらず、欧米系の人もほぼいなかった。

人生で感じる最強のアウェイ感。

ニューヨークやイギリスに留学したときも、ベトナムを旅したときとも違うこの感覚。

「出だしから最高だ！」

そんなワクワクしているぼくに緊張感が走る出来事が起きるまで、それほど時間はかからなかった。

イミグレで手続きをしていたとき、何かいろいろと聞かれる。そもそも日本人で民間のパスポートを持って入国する人間はほぼいない。ＪＩＣＡや外務省関連の公的なパスポートで入国する人が多いなか、わざわざ何のためにウガンダにやって来たのかしつこく聞かれたのだ。

最終的に別室に連れていかれて尋問を受けた。

出てきたのは、大きな銃を持った１９０センチは超えるであろう大男だった。

（な、なんだろう？　何も悪いことしてないのに緊張する……）

そんな不安を見透かすように大男はスーツケースを乱雑に開き、「これはなんだ！」「それはなんだ！」ととにかく大声で聞いてくる。

ぼくは、彼女へのお土産として日本食をたくさん持ってきていたのだった。

「What is this !?」

なぜかわからないが怒っている大男に対して、

「Well,,,,,This is a kind of miso soup.（えっと、味噌汁のもとです……）」

こんなやり取りが1時間ほど続いた。

今考えると、おそらくちょっとした賄賂を要求していたのだと思う。何も悪いものが出てこないのでひたすら時間が過ぎていったのだった。

到着時間を大幅に過ぎたぼくを彼女は空港で待っていてくれ、一緒に滞在先に向かった。車から見える景色のすべてが新鮮で、世界は本当に広く知らないことだらけだなと痛感させられた。滞在先に到着すると、ぼくはそのまま丸一日ほど寝続けたのだった。

観光初日の猛ダッシュ

翌日、カンパラ中心部に観光がてら向かった。

あたり前だが周りの人たちはほぼ全員黒人なので最初は慣れない。現地にいるだけで少しの緊張感と高揚感を得ていた初日のことだった。

ウガンダは隣国のケニアと違い、治安は比較的良く過度な心配はしなくていいと聞かされていた。

ところが、街を歩いていたとき、ある青年がひったくりをするのを目撃した。それだけでも驚いたが、もっと衝撃的だったのはそのあとだった。

ひったくりをした青年を周りが捕まえて、ボコボコにしたのだ。

「こ、怖い……」とぼく。

よくよく周りを見渡すと、ビルの前に立っている警備員はみな大きな銃を持っている。

「治安がいいのでは？」

そう確認するぼくに対して、

「治安は、いいよ！」

と彼女は明るく答えるのみ。

いや、どう考えても治安良くないよね……？　まぁ気にしても仕方がないので観光を続けていると、何やら大通りの向こうで多くの人が騒いでいた。道いっぱいに人が溢れかえっていたので何かのイベントかなと思いながら、見ていたその瞬間だった。

その全員が一斉に、ぼくたちのほうに向かって猛ダッシュし始めたのだ。

息が止まるかと思った。

アフリカの一国、ウガンダの首都カンパラでの観光初日である。

昔放映されていたドッキリのテレビ番組で、大勢の人が突然猛ダッシュで向かってくる、そんな企画を覚えている人もいるはず。あのもっと大がかりなバージョンを想像してほしい。

しかも、異国の地だ。

息が止まるかと思った。

わけもわからず、ぼくたちは反対方向に猛ダッシュし、途中でカフェに入った。

ほどなくして、目が痛くなってきた。

後日判明したことだが、その日は大規模なデモがおこなわれていて、治安維持部隊が催涙ガスを放ったらしい。ちょうどデモ隊が逃げる瞬間にぼくたちは遭遇したのだった。

治安がいいのではなかったのか……そんな経験さえも初めてで興奮しながら滞在先に戻った。

ウガンダで感じたドイツ

部屋に入ると、彼女のシェアメイトである二人のドイツ人が迎えてくれた。彼女はドイツと日本の共同プロジェクトに参加していたため、公私をドイツ人とともにしていたのだ。

彼女たちとのホームパーティーでもウガンダらしさが発揮された。

まず約束の時間に人が来ない。

開始と伝えていた時間には我々しかおらず、スタートして1時間ほどが経ち、ようやく8割程度の人がやって来る感じ。それで人が集まったと思ったら、今度は停電になり、真っ暗の中でろうそくでパーティーを続けた。

また、給湯器の精度が悪く、一人がシャワーを浴びると30分ほどは温かいお湯が出ない。そのことに対してドイツ人男性につぶやいたところ、「俺は平気だ」と言う。そこでそのことをドイツ人女性に話すと、「水でもシャワーを浴びられるくらい男らしさをアピールしている」とのことだった。

どうやらドイツでは水シャワーがカッコいいらしい。日本人にはない男らしさのアピールの仕方だ。世界はなんと広く、なんと知らないことだらけなんだ。ウガンダの地でドイツを感じるなんて。

創業と結婚

さて、ウガンダにやって来た大きな目的は、正式なプロポーズをすることだった。

雄大なサバンナの夕焼けを望める台地の上のコテージを、彼女はお膳立てとして借りてくれていた。

まさに、ここで伝えてくれと言わんばかりの用意周到な準備だ。

そのあまりにでき上がったステージにぼくは臆した。

ここで言うのはあまりにも恥ずかしすぎる。

あの場所でプロポーズをしなかったことは、その後、永遠に言われ続ける文句の定番ネタになってしまった。

ともあれ、そんなウガンダでの経験を経て、晴れて結婚式を迎えたのだった。

最近読んだ記事で、「なぜ結婚生活はうまくいかないことが多いのか」について言及されているものがあった。結婚式を挙げるとその日が人生で最高の日となり、その後の生活のなかで結婚式を超えるのが難しくなるとのことだった。

この点においてぼくたちはあてはまらない。

翌月には定期的な収入がなくなるという、人生でもっとも悶々とした状況下で結婚式を挙げたからだ。式場の運営の人が問題だったわけでもなく、友人に祝福されなかったわけでもない。当時のぼくには何もなく、結婚式を純粋に楽しめる精神状態ではなかったのだ。

ベトナムで人材紹介事業を立ち上げることまでは決めていた。だけど何か動き出している状態ではなく、何者でもないぼくを紹介される。

家族や友人は祝福してくれたが、一刻も早くホーチミンに戻り、事業を少しでも前に進めたい、そんな焦りに包まれていた。

後輩の起業予備軍のみなさんには、ぜひ創業と結婚式のタイミングはずらしたほうがいいとだけはアドバイスしておこう。

暗礁

2008年3月、結婚式を無事に終え、いよいよ事業の立ち上げが始まった。

本当にやっていけるのか?
ニーズはあるのか?
成長性はあるのか?
勝算はあるのか?

事業を始めるといっても、具体的な計画に落とし込めているわけではない。
おまけに、ないないない尽くしだ。

人材ビジネスの経験なし。
アドバイスを受けるメンターなし。
部下を持った経験なし。
頼れる人脈なし。

信用できる投資家もなし。

結婚式でお金を使い100万円減……。

いろいろと大変な状況ではあるが、ベトナムでの日本人の技術者やビジネスパーソンの斡旋モデルはある。

このアイディアを検証するべく、事業モデルを絞り込むきっかけとなった家具製造会社のベトナム人経営者にニーズをヒアリングしにいった。同時に、他にも似たニーズがないかと現地企業に営業をかけ始めた。ベトナムの発展に貢献するべく日本人を採用しないですか？

――と。

最初の1週間でピンときた。

これはやばい。お金の匂いがしない。

現地企業の多くのベトナム人経営者は、「いいねー！　いいねー！」と言う。

かの家具会社の経営者も同じだ。

しかし、話が前に進む気配を感じない。要件を具体的に落とし込めないし、スケジュールも引けない。人材ビジネスのプロではなかった自分でも、感覚でわかる。

これはまずい。

さまざまな見込み顧客も同様だ。「日本人で優秀な人がほしい」と言うが、実際に案件化はしなさそうな口ぶりだった。

せっかく始めた事業モデルが、早くも1週間で暗礁に乗り上げつつある。

創業1年目の地図なし旅

そもそもベトナム企業に日本人材をマッチングするといったハードルの高いところから始めるのではなく、日系企業に人材を紹介しようと方向性を少し変えた。

ただし、それだけでは二番煎じにすぎない。

当時、すでに5〜6社、ホーチミンに日系人材紹介会社が存在していた。

人材紹介業の業務経験がなかったため、何らかのポイントを尖らせないと生き残れない。

そう考えて、「日本人材に強みをもつ人材サービス会社@ベトナム」をコンセプトに決めた。

方向性が固まったので、早く実践に移すために、試しに日系企業向けにアポを取ってみた。

最初にアポを獲得できたのは日系の製造業だった。

製造業は郊外の工業団地にあるらしいと、なんとなく知り始めていた。アポ先の会社が入居していたのは、ベトナムシンガポール工業団地（通称VSIP）だった。

2008年当時、Googleマップなどのインターネットマップはベトナムには整備されていなかった。それまでもホーチミン市内やハノイ市内を営業で回る機会は多かったため、書店で1万~2万ドン（約50~100円）のペラペラの紙の地図を、ボロボロになるまで使い込んでいた。

しかし、日系企業向けに営業を始めるとなると、郊外に行く機会がさらに増えると、この時点で気づいたのだった。

タクシーを使うと往復するだけで相応の料金がかかる。当然、自前のバイクで営業することになる。自力で向かうためには、道を知っていなければならない。

ところがベトナムの紙の地図には、ホーチミン中心部（1区、3区、5区ぐらい）までしか記載がない。探し回ったが、郊外のマップがどこにも売っていないのだ。

それでもアポは翌日に取ってしまっている。焦ったぼくは過去に一度だけ、名前は覚えていないが工業団地を見学訪問していたのを思い出した。

その工業団地は、ビエンホア工業団地だった。なぜ勘違いしたのか今でも不思議だが、規模が大きく有名なベトナムシンガポール工業団地をビエンホア工業団地と思い込んでしまった。

ビエンホア工業団地はドンナイ省の中心部に位置している。ベトナムシンガポール工業団地はビンズン省の中心部に位置している。

関東圏にたとえるならこんな感じだ。

ドンナイ省　↓　千葉県
ビンズン省　↓　埼玉県

地図のないぼくは、とにかく工業団地を目指せばなんとかなると、本来はビンズン省に行かなければならなかったところ、ドンナイ省に向かってしまったのだ。

ホーチミンからビエンホア工業団地に通じる道は「ハノイハイウェイ」とよばれる。その名のとおり、ハノイにまで通じる大通りだ。あの有名な北海道のローカル番組で大泉洋が走り抜けた道でもある。

その大通りは、無数のトラックが高速で飛ばし、品のないバスが今にもぶつかりそうな勢いでクラクションを鳴らしながら突っ込んでくるような道だ。砂埃も舞えば、日差しもきつい。

そんなこんなで記憶を頼りに1時間ほどバイクを走らせ、なんとかビエンホア工業団地にたどり着いた。

問題は、そこがベトナムシンガポール工業団地ではないことだけだった。

工業団地の前にたむろしているおっちゃんたちに、

「ここはベトナムシンガポール工業団地だよね？」

と念のために尋ねてみた。

するとおっちゃんたちは、「……?・?・?・?・」という表情。

当然だ。そこはビエンホア工業団地であり、ベトナムシンガポール工業団地ではないのだから。

多少焦り始めたぼくは、「ちなみにベトナムシンガポール工業団地はどこだ」と聞くと、

「あっちのほうでメッチャ遠いぞ!」と言うではないか。

(まじか……)

一発目のアポで思いっきり別の省に来てしまったのを理解した。

ちなみに、やり取りはすべてベトナム語だ。もうひとつちなみに、ぼくは今でもベトナム語は片言だ。

気合いのベトナム語で地図なしの旅が始まった。

ポイントは、「あっち」と指さすおっちゃんたちの方向感覚を信じるのみということ。

15分ごとに、道端で立っている人たちに、

「ベトナムシンガポール工業団地はどこ?」

と聞き続けた。

そしてなんとかアポの時間に間に合った。所要時間1時間想定のところを2時間前に出発していたのが奏功したのだった。

当時は日焼けに加えて塵と埃と排気ガスにまみれて年中、真っ黒だった

ようやく着いたものの、新たな問題は、汗だくで砂埃まみれのキッタナイ状態をどうするか。でもそこは仕方ない。間に合っただけで上出来だ。路肩のお店でウェットティッシュを買い、なんとか営業面談に臨んだ。

その頃の写真を貼っておこう。やはり真っ黒だ。

盲点

こうして意気揚々と、そして何事もなかったかのようにアポ先の会社を訪問し、日本人採用に特化した日系人材紹介の事業概要を説明した。

この一発目の面談で、先方から「日本人の採用は考えておらず、ベトナム人の品質管理で良い人はいませんか?」とニーズを拾ってきた。

ターゲットにあてた需要ではなかったが、一発目からお客さんのニーズをヒアリングできた。と同時に、やっぱりそっち(ベトナム人)の優秀な人材を求めているんだな……とわかった。

オフィスに戻り考え込んだ。

そもそもどうやってベトナム人を集めればいいんだ？

マーケットばかり気にしていたぼくは、サービスを提供する方法についてちゃんと考えていなかったことに今さらながら気づいた。

一人で創業すると事業は立ち上がらない。数名のコアメンバーで足りないところを補いあい、チームで事業を進めるべきだ。こんなアドバイスをしてくれる人もいなかったぼくは、独立精神が強すぎた結果、まったくの一人で事業を始めていたのだった。そのため、そんなアタリマエのことさえもわからない。

一人で唸っていても答えは出ない。悩みながら帰路についた。


その日の夜のことだった。

夕食を夫婦でとりながら、ぼくはおもむろに会話を始めた。

「やったことのない人材紹介サービスを始めたのはこの前話したよね？」

「そうだったね」

良き相談相手の彼女は、こちらが話しやすいよう適度に相槌を打ってくれる。

「すでにベトナムにあるローカル企業への展開は難しいと判断して、日系企業への営業を始めたんだよ」

「それでそれで」

「今日初めてアポイントが入ったので訪問してみたら、ベトナム人の案件を獲得できたんだよね」

「なるほど」

「でも、ベトナム人の優秀な人材の集め方やキャリアカウンセリングの方法がわからなくて、行き詰まってて……」

「なるほどね」

少し弱気になっていたぼくは続けた。

「そもそも計画が甘かったのか。ベトナム企業に日本人技術者を紹介しようとスタートした事業をすぐ方針転換し、日系企業に日本人材の紹介を始めた矢先にベトナム人のニーズの話になり……まぁ、始めたばかりだから、あきらめなくてもいいんだけど、行きあたりばったり感が強いよね」

ひととおり耳を傾けてくれた彼女は、

「まぁそうだけど、そんなもんじゃない？　いったんニーズのあることをやってみたら？」

と励ましてくれる。

「ではどうやってサービスの提供体制をつくろうかな。というか、ベトナム人材をどうやって探せばいいいんだろう？」

そんな素朴な疑問を口にした瞬間、彼女がつぶやいた。

「それは、ベトナム人に聞いてみたらいいんじゃない？」

「たしかに！」

膝を打ったぼくは、なぜ気づかなかったんだと我に返った。

そう、聞けばいいんだよ。わからないことは当事者に聞けばいい。


そこで手始めに、初めて採用した社員1号のフンさんに尋ねてみることにした。

「フンさん、ベトナムの人たちってどうやって仕事を探して就職してるの？」

すると彼女は流ちょうな日本語で教えてくれた。

「〇〇という求人サイトに自分のレジュメを登録します。すると会社から連絡があって仕事を提案してくれます」

「なるほど……。それって直接、雇用企業から連絡があるものなの？」

「いえ、違います。間に入ってくれる仲介会社の人から連絡があります。そのうえで仕事を紹介してくれます」

彼女の説明を聞いて、人材ビジネスの基本をまったく知らなかったぼくは仰天した。

どういうことだ!?

ベトナムではレジュメ（職務経歴書）を登録できるＷｅｂサイトがあり、そこにエージェントもアクセスして人材にアプローチできて、さらに仕事を斡旋できるのか?

そもそもそんなビジネスが成り立つのか?

こんな初歩的な知識もない状態でよく事業を立ち上げられたものだ。だが実際にはそのようなことだった。


こうして、一つひとつ関門をクリアしていくなかで事業が立ち上がっていった。

あとは、とにかく動いた。

人材ビジネスのいろはをまったく理解していなかったからこそ、がむしゃらに求人を獲得し、ベトナム人スタッフに候補者を探してもらった。

1週間に20社以上は回っていたと思う。何もかもが初めてだったので、生き抜くことに必死だった。

でも、そんな刺激的な毎日だからこそ、生きている充実感を得るには十分だった。

ベトナムにおける人材ビジネス

ここで、ベトナムにおける人材紹介ビジネスの全体像をお伝えしておこう。

やったこともない人材紹介ビジネスを異国の地で始めたわけだから、最初は何がわからないのかもわからない状態だった。

でも、無我夢中で企業訪問を続けるうちに、ベトナムの人たちがどうやって就職や転職の活動をおこない、あるいは現地企業や日系企業がどうやって人材を採用し、そこにぼくたちのようなエージェントがどう絡んで収益を上げて成長していけるのか、おぼろげながらもビジネスの輪郭がつかめてきた。

まず当時、ホーチミン市内および近郊で日系企業は約1000社存在しているといわれていた。業界としては製造業が中心で、建設業、IT、物流、その他サービス業などが次ぐかたちだ。日本の産業構造そのものがベトナムにも展開されているとイメージしてもらっていい。

ぼくが人材紹介ビジネスを始めた段階で、すでに先行している日系企業は5社程度だった。アセアン（東南アジア諸国連合）の中でもベトナムのプレゼンスはまだまだ低く、発展途上国という立ち位置だったがゆえに、人材紹介を始めとした各種サービス業の進出はその他の業界に比べて相対的に少なかった。

2008年当時のアセアン各国の状況は、

・先進国となり圧倒的な発展度合いを見せるシンガポール
・多くの日本企業・日本人が集まり飲食店・サービス業の質と量が圧倒しているタイ

・アセアンで最初に中進国となり先輩格のマレーシア
・人口ボリュームで強みを見せるインドネシア
・上記の国々に大きく引き離されて次ぐ立ち位置のベトナム

といった印象だ。

ホーチミンやハノイに住む日本人はシンガポールやバンコク、クアラルンプールに足をのばし、日本食やショッピングを楽しみ、さまざまなエンターテインメントに興じるのが定石となっていた。

人材サービス業に関しても同様だった。

シンガポール、インドネシア、マレーシア、タイにおいては日系の大手人材紹介会社の現地法人、あるいは当社の先輩格にあたる現地発の日本人起業家が営む会社がしのぎを削るほど存在していた。

一方のベトナムはといえば、前述したように、ぼくが始めた時点ですでに5社程度の先行競合会社があった。他国との違いは、どの競合会社も日本の中小企業のベトナム現地法人だったこと。ぼくのようにオーナーシップをもって本格的に人材サービス業を展開している会社がなかった点は運がよかった。

しかし、ぼくは経験のない事業をスタートさせているわけで、先行企業に勝つというより、一つひとつのサービスの質と量を上げていくことのみに集中していた。

人材紹介サービスの流れは、一般的な求人広告や人材派遣の課金形態と比較するとわかりやすい。

1．求人広告

広告枠の前金で確定するモデル。出稿枠単位で広告掲載料が課金されるため、人材を必要とする顧客企業はうまく採用できれば広告費用を安く抑えられる。採用人数単位で課金されない点も特徴。逆にいえば、その広告出稿で一人も採用できないリスクもある。求人広告は一般的に、採用難易度の低い求人で利用されるケースが多い。

2．人材派遣

派遣料を毎月支払うモデル。人材派遣会社が人材を斡旋し、労働者は人材派遣会社から給料を受け取る。顧客企業は人件費に人材派遣のマージンを乗せて人材派遣会社に支払う。その派遣社員を利用し続けている限り、人材派遣会社のマージン売上（収益）につながるストックモデル事業。一般的に、季節指数が高い仕事などで人件コストを変動費に算入したい場合に利用されるケースが多い。

3．人材紹介（エージェントモデル）

一人あたりの人材紹介の成功報酬モデル。顧客企業は、採用できない場合は利用料を支払う必要がない。採用が決まった場合にのみエージェントに成功報酬を支払う。採用単価は求人広告より高くなる傾向にある。一般的に、採用難易度の高い求人で利用されるケースが多い。

以上を見てもらってわかるように、人材紹介の事業とは、各モデルの中でもっともボラティリティ（変動率）の大きいビジネスモデルといえる。

案件をいただいても、成約しなければ売り上げにはならない。顧客企業の採用ニーズや課題を解決できなければ生き残れないうえに、毎月の売上予測を立てる難易度が他のモデルに比べて高いといった特徴がある。

一方でビジネス上のメリットは、うまくいくと収益性を高められる点と、少ない資本金で事業を始められる点だ。

あとになってわかったことだが、そもそもベトナムではホワイトカラーの人材派遣というニーズは存在しない。したがって2番目の事業の立ち上げはあり得ない。

ちなみに、実質的に人材派遣のようなビジネスで運用されている外国人技能実習制度もあるが、ぼくのビジョンやミッションとは違うために扱わないことにした。

1番目の求人広告は、日本においては代理店モデルがあるため少ない資本金でも参入可能だ。しかしベトナムには大手求人メディアの代理店というビジネスモデルが存在しない。というか求人メディアの代理店というのは世界でも数の少ないビジネスモデルなのだ。日本は何かにおいてガラパゴスで特殊な国である。

では、自分で求人メディアをつくればいい、と思う人もいるだろう。しかし、それには大きな資本がいる。今でこそ、ベトナムでもスタートアップの段階からインターネットサービスに時価総額をつけて、大規模な資本調達をすることも容易になってきたが、当時はハードルが高かった。

もっとも、当時のぼくにはそうした知識もなく、求人メディアの立ち上げなんて選択肢に入らなかったのが実情だ。

インベーダーゲーム

こうして、人材紹介（エージェント）のモデルにたどり着いた。人材紹介のビジネスフロー自体はシンプルだ。

・顧客企業から求人を開拓する

・求人にあった候補者を選定する
・選定した候補者と面談し、顧客企業に提案する
・提案した候補者が採用され、入社した時点で売り上げが確定する

いわゆるマッチングサービスである。

ぼくは創業初日から社員を採用すると決めていたため、会社の立ち上げと同時に売り上げがゼロにもかかわらず正社員を雇用した。先ほどのフンさんだ。

さらに創業からの半年で社員数は3名に。つまり売り上げがほぼゼロの上半期の時点で4名体制で動いていたのだ。

結果、人材サービス業の経験がないばかりか、まったくやったことのないマネジメント業務まで発生していたのだった。

役割分担は明確だ。ベトナム人の選定とキャリア面談はベトナム人メンバーが担う。ベトナム行政に関する総務および外注していた会計会社とのやり取りもベトナム人メンバーが担う。

その他の業務を全部、自分一人でやった。

営業開拓リストの作成

営業アポイントの取得
営業面談の実施
営業管理業務
求人票の作成
日本人候補者流入のための自社サイトの企画と運営
日本人候補者との面談
人材紹介実務の管理業務
人材紹介部長としてメンバーマネジメント
経理部長業務
人事総務部長業務
自社採用面接

これらのなかでも最重要タスクである求人開拓に向けて、来る日も来る日もテレアポで面談を獲得し、営業に走る日々。文字どおりバイクで営業に駆けずり回っていた。

事業とは、戦略を描き、日々の事業数値を洗い出し、課題点を発見し、改善策を講じる——そんなＰＤＣＡの繰り返しだ。しかし定石どおりになんてできていなかったし、できるわけもなかった。

数字を細かく出すより1件でも案件獲得に走りたい。しかし事業を進めるうえで、レビューをおこなったり問題点を指摘してくれたりする上司も投資家もいない。自分のやっていることが正しいのか、間違っているのかすらもわからない。オーナー経営者によくある話だ。

日本企業の人事部は求人票を作成してくれることが多い。しかしベトナムでは、基本的にはエージェント側が求人票を作成する。

この実務的な負荷が、一人何役もこなしている身にボディブローのように効いてくる。顧客求人企業からニーズをヒアリングして求人票に落とし込み、それをメンバーにシェアする作業も社長であるぼくが担当した。

管理システムなんてものはない。エクセルを使い、VLOOKUP（表を縦方向に検索し、一致したデータを抽出してくれる関数）といった関数を駆使しながら帳票を自分でつくった。

数年後にはエクセルに限界を感じ、FileMaker（簡易データベースソフト）で案件管理や帳票を出す程度のしくみを開発するところまで自分でおこなった。コーディングは外注したが、実務の流れや上流工程は自ら手を動かした。

何から何まで自分でやった。昔のインベーダーゲームのように次から次へと五月雨のように課題が降ってくるなか、それら一つひとつに即座に対応しながら走りに走った。

ベトナム人メンバーたちの活躍

もっとも重要な顧客側のニーズについて、徐々に傾向がつかめてきた。まず、社員数・企業数ともに多い製造業向けに絞ってみた。すると狙いどおり一定のニーズがある一方で、共通の課題が見えてきた。

当時依頼されることが多かった、「日本語ができる〇〇の職種」だ。日本の製造業の場合、現地法人も日本語で運営されるケースが多い。大手製造業には英語ができる駐在員の方々もいるが、とくにホーチミン近郊の製造業は中小企業がほとんど。語学に長けてない駐在員の方も多く、日本の本社側にも英語ができる人材は少ない。そのため顧客求人企業は日本語ができる生産管理や品質管理、総務や通訳・翻訳を求める傾向があったのだ。

しかしながら、そうした人材はホーチミン市内に居住していることが多く、ゆえに市内で働きたい希望が強い。さらに製造業は他の業種に比べて給料が低い傾向にある。結果として、日本語のできる人材を惹きつけるのが容易ではないのだ。

しかも工業団地の立地の不利という課題もあった。

多くの日系製造業はホーチミン近郊の工業団地とよばれる製造業向けの工場集積地に拠点

を構えている。古くからある工業団地はホーチミン近郊に立地しているが、ベトナムの経済成長にともない新たに開発されていく新興工業団地はどんどん遠隔地になっていく。そうした遠隔地に立地する製造業の採用難易度は増していくのだった。

企業各社は通勤用の自社バスを出したりと、ホーチミン市内の人材を集めるために必死だった。

同様にぼくも必死だった。遠隔地の工業団地はきまって交通手段が乏しく、自家用バイクで営業に奔走する身にはきつかった。時として、牧歌的な風景の中で家畜されている牛を横目に見ながら、片道2時間かけてバイクで営業先に向かうこともあった。

そうやってがむしゃらに営業し、獲得してきた求人を引き継いでくれたのがベトナム人のメンバーたちだ。ぼく自身が何もわからないなか、ベトナム人メンバーたちが試行錯誤し、候補者を見つけてくれて顧客企業に紹介してきた。

創業当時、そうやってベトナム人のメンバーたちが自ら動き、同国における人材ビジネスのやり方を編み出してくれて本当に助かった。

なかでも創業1年目にジョインしてくれたランさんの存在は大きい。

もともとアドミン（総務職）として入社したものの、もち前のセンスで候補者の選定やフォローアップといったキャリアアドバイザー業務を兼務し、創業期を支えてくれた。そんなランさんは現在も当社の中心メンバーとしてバリバリ働いてくれている。

ちなみに、ベトナムに進出を検討する日系企業から人材面について最初に聞かれる内容は、だいたい決まっている。

「ベトナム人はすぐ転職するんですよね？」という質問だ。

日本と比べてベトナムは雇用の流動性が高いため、ある一面では事実だ。

しかし実情は、お金が少しでも高ければ転職するといった、偏見も多少入り混じったような見方とは程遠い。当社でおこなってきた調査においても、ベトナム人の転職動機で「金銭的な理由」が上位に入ることは多くない。

ベトナムの人たちは、第一に自身のキャリアビジョンと会社の業務が一致している点を重要視する。次いで、人間関係や職場環境の良さも大切にする。そうした複合的な要因で転職することが多かったりする。

メンバーシップ型雇用の日本企業で働く日本人は、単にキャリアがジョブ型になっていないために転職のハードルが高い。

それに比べてジョブ型の雇用形態のベトナムの場合、転職率自体は高くはなるが、ひとたび会社の核となってくれると定着してくれる確率が高いと断言できる。

価値を生み出した瞬間

そんな奮闘の日々のなか、新規開拓して得た求人企業から、成約報酬が初めて振り込まれた日のことは忘れない。

それはターゲットにしていた製造業ではなく、日本の美容室だった。日本語ができる運営アシスタントを求める美容室に人材を提案し、採用が決定。成約報酬が振り込まれ、その着金したインターネットバンキングの数字を眺めながら、「これが価値を生み出した瞬間なんだ」と身が引き締まった。

同時に計画を絵に描くだけでなく、実行していくと狙いとは違ったセレンディピティ（幸運な偶然）のような出来事がたくさん起きていくこともこの件で学んだ。製造業を攻めていたら、まったく異業種の美容室が初めての顧客になったのだから。

心の葛藤

創業期を支えてくれていたメンバーたちには申し訳ないが、当時はマネジメントなんてまったくできていなかったと思う。

1on1ミーティングなんてしたこともない。

恥ずかしい話だが、昇給や賞与もできる限り抑えた。

ジョブ・ディスクリプション（職務記述書）も評価基準もない。

えんぴつなめなめだ。

不満が上がってくるたび、「なぜか……」と思い悩む。

そして退職されるたび、ひどく落ち込んだ。

人材ビジネスそのものを理解していなかったため、メンバーに対して仕事の指示を的確に出せない。当時はベトナム人メンバーと侃々諤々話し合い、より良い方法を模索するといったディスカッションもできていなかった。

能力も経験も不足しているうえに時間も圧倒的に足りていない。多くの創業ベンチャーが陥るであろう問題のすべてに薄く絡んでしまっている状態だった。


事業の立ち上げ期は高揚感があり、興奮した毎日が続くものだ。

しかし日々が日常になるにつれ、孤独を感じるようになっていった。忙しいのに心が満たされない日々を過ごしていた。

起業家やさまざまな世界で活躍する友人といった、今では恵まれている仲間がいなかったのも辛かった原因のひとつだ。異常な節約生活のため、気晴らしに飲みにいくこともできない。

それぞれに志をもって挑戦する仲間が横にいるだけで刺激になり、勉強にもなる。当時のぼくには、そんな環境はなかった。

人生の目的

一方、孤独で我慢が多い生活をどこかで楽しんでいる自分もいた。それは事業に対して二つの矛盾した思いを抱いていたからである。

一つ　社会に対してのインパクトを最大化させる
一つ　事業は実験だ

当時、所持していた現金は約300万円（実際には結婚式の資金として一部使用）。インフレが年々加速していた2008年当時のベトナムにおいては、現在よりキャッシュの価値が高かった。同じ300万円でも日本でよりベトナムのほうが有効に使える。

生活費だって安い。

事業の失敗というのは、継続不可能になった時点で確定する。継続さえしていれば失敗ではない。

すべては過程であり結果ではない。

とくにぼくは投資家を設けずにいたため、リビングデッドは存在しない。

自らのライフワークとして事業に挑戦しているため、継続さえできれば失敗ではない。

たった300万円の話だ。失ったとしても大した問題ではない。

仮に、失ったとしても新車を買って保険に入らずにぶつけてしまったと思えばいい。

少なくとも、新車を廃車にするより、一人でいきなりベトナムに来て、挑戦した結果の失敗のほうが何倍も面白い。

そのうえ、経験は資産となり、それを活用したい人や組織は間違いなく出てくる。

つまり、何の損もしないのだ。

最悪は、事業継続に失敗し、300万円を失ってしまうこと。

最高は、価値ある事業を創出し、自分も社会も豊かになること。

めちゃくちゃローリスク・ハイリターンじゃないか。


そもそも人生の目的とは、成功するためでもお金持ちになるためでもない。

人生の目的とは、「経験」そのものにあると感じている。

挑戦する過程で生まれる経験を得て、死んでいくのではないだろうか？

自分が信じた夢と未来に向けて仲間と挑戦し、泣いたり笑ったりしながら前に進む。

蛮勇で何でもかんでも玉砕すればいいわけではない。

我儘も機を見ることも重要だ。

そこで悩みや苦しみが発生することも避けられない。

しかし、その葛藤は同じくらいの喜びや笑いのための、自分が選んだ人生そのもの＝経験だと思い出せばいい。

創業期の苦しみを経たことで大事なことに気づけた。

葛藤を繰り返しながら、創業1年目の終わり頃にはある程度のまとまったキャッシュを生み出せるようになっていたのだった。

土下座

創業2期目を終える頃には日本人社員第1号も加わり、社員数は10名弱まで増えていた。

2期目も相変わらず自ら必死に動き案件を回す日々が続いていた。社長とは名ばかりで、営業担当兼キャリアアドバイザー兼営業マネージャー兼経理担当兼責任者であった。

P／L（損益計算書）上で黒字にするため、いかに経費をかけない体制を整えるかの典型的なパターン。一人で多くの役割をこなし続けるあまり、問題への対処が弱くなるのであった。

記憶に残り、かつ伝えられる範囲で辛い事件がこの頃に初めて発生した。

一人何役もやっていたがゆえの問題である。

人材紹介ビジネスは典型的なＢｔｏＢｔｏＣのビジネスである。転職希望者（＝Ｃ）を企業（＝Ｂ）に紹介し、企業（＝Ｂ）から料金をいただく。

日本人の転職希望者は、当然のことながらぼく自身が相談にのる。求人企業側にも採用に成功するための各種の営業活動をおこなう。業界用語でいうと一気通貫の転職支援体制を敷いているのである。

この当時、ぼくはまだ28歳。情報のいき違いで、ある日本人候補者にご迷惑をおかけすることがあった。

K氏は当時40代前半で、以前よりベトナムで仕事をしていたがすでに離職されていた。いかにも日本人ビジネスパーソン然とした雰囲気でしっかりされている印象を受けていた。

ところが、ある日突然、人が変わったようにキレ始めたのだ。

発端は、ぼくのミスだった。

「A社の推薦が通りまして、面接の運びとなりました」

そう伝えると、Ｋ氏は形相を変えて怒鳴りだした。

「？？？　誰がその企業に推薦してくれと頼んだんだ！　俺は頼んだ覚えはないぞ！」

急いで確認すると、K氏の言うとおり、ぼくが間違えていたことに気づいた。

「大変申し訳ございません。私の確認不足で認識を間違えておりました。A社様にはお詫びし、辞退の連絡を入れます」

ご迷惑をおかけしたのは確かだ。その事実を受け止めたうえで、誠心誠意の対応を心がけたつもりだ。しかしK氏には伝わらないばかりか、ぼくに対する攻撃がエスカレートしていった。

「俺の個人情報がその企業に渡ったな。どう責任を取ってくれるんだ」

そんな罵倒が数時間も続いた。何度説明しても、何度お詫びしても納得してもらえない。その日以降もだ。毎日のように、回数にして優に100回以上は電話がかかってきた。あるときは、

「安倉！　だいたいお前、色のあるワイシャツ着てるのが憎たらしい。お前みたいなチャラチャラしたやつが事業なんて笑わせる。成功するわけがない」とののしり続けた。

もはや罵詈雑言でしかない。こうしたクレームの対処法を理解していなかった自分はただひたすらに対応した。

あまりに粘着質でどうにも収まりそうにないため、最終的には知人に間に入ってもらい、面会の場を設けることになった。

「どうすれば許していただけますか？」

そう切り出すと、K氏はある要求をしてきた。

「今、ここで土下座しろ」

悔しくないといえば嘘になる。嘘になるが、「土下座くらい安いものだ」と自分の心に言い聞かせた。

こんなところで事業を止めるわけにはいかない。

土下座で話が終わるのであれば、相手の怒りが収まるのであれば、いくらでもしてやろうじゃないか。つまらないプライドが邪魔して損をするより、理を取ったのである。

おそらくだが、気に食わない若者が自分に屈服した様を眺めて、彼は満足したのだろうと思う。

以降、一切の連絡がなくなった。

プライドは自分にではなく、物事に対してもつべきだ。自分たちの事業にプライドを抱いていれば、そして自分たちの事業を続けるためであれば、いくらでも恥をかいていい。

迷惑をかけたのは事実であり、謝罪する誠意は相手に伝わらなければならない。

彼の執拗な嫌がらせは犯罪レベルだが、事業を継続するためにコストを下げることができれば、ぼくたちのサービスはより良くなる。

自分に対するプライドなんてクソくらえだ。

土下座なんて何万回でもしてやる。

もはや俳優になった気持ちで土下座を演じればいい。

土下座したあと、K氏から満足気に放たれた捨て台詞は、一生忘れない。

「お前、いい経験になったな」

葛藤を乗り越え、2期目の売り上げは前期の3倍以上の成長を実現していった。

第 4 章

BORDERLESS

多拠点戦略

事業成長への渇望

2期目の売り上げが急拡大し、ホーチミンを拠点に展開する日系の人材紹介会社として知られる存在にはなってきていた。

とはいえ、2期目の終了時点で社員数は10名強。まだまだホーチミンに軸足を置いて営業攻勢を仕かけ、当地でのシェアを一気に拡大するべき地固めの時期だったのは間違いない。組織としても、ぼくが実質的に実務面でのかじを取り、売り上げのプレイング責任まで担っていた。かろうじて営業を任せられる社員が一人いたほかは、あらゆる部門の責任業務をぼくが担当していたにすぎなかった。

ところが3期目、無謀にもハノイへの事業展開を意思決定した。経営チームもなければ、アドバイザーもいない。そんなぼくにとって、攻めるといえば多拠点展開しか思いつかなかったのだ。

当社の創業地のホーチミンは商業都市であるのに対して、新たに進出を決めたハノイはベトナムの首都。中国の北京（首都）と上海（大規模商業都市）をよく引き合いに出されるが、たしかに似ている点は多い。

ともに共産党政権で、政治・行政の中枢は首都のハノイにある。一方で人口や企業の多さではホーチミンが圧倒しており、文化・経済ともにハノイより進んでいるのだ。

南北に長い地形は日本のそれと似ている。北部がハノイで南部がホーチミン。ベトナム戦争時点では、北ベトナムの首都がハノイで、南ベトナムの首都はサイゴン（現在のホーチミン）とよばれていた。

南北で気候は大きく異なる。南国をイメージするのなら、それはホーチミンだ。ホーチミンは熱帯モンスーン気候に属しているため年間の平均気温はおよそ26度と高く、最高・最低気温ともに大差はない。11月～4月頃までが乾季で、5月～10月頃までが雨季となる。日本のような四季はなく2シーズンのみだ。

一方のハノイには四季があり、夏は暑く冬はそれなりに寒い。曇天の日が多く、どんよりとした雰囲気に包まれている印象がある。賑やかさを求める旅行客はホーチミンを好む傾向にあるが、ハノイにはフランス植民地時代に建てられた歴史的な建造物が多く残るなど古の都の風情を楽しめる。

ビジネス視点で南北を比較すると、文化・経済はホーチミンのほうが進んでいるが、政治の中心地はハノイなので製造業の大型の投資案件は北部に集中しやすい。日系企業であれば、キヤノンやトヨタといった大型工場は北部にある。ベトナムのＧＤＰの2割相当の売り上げを叩き出すサムスンの工場も北部の工業団地で操業している。

このように南北で異なる特性があるのを踏まえ、２０１０年6月、ぼくはハノイの市場を獲りにいくために一人現地に降り立った。6月のハノイは雨季のホーチミンとは打って変わり、40度を超える日が続く酷暑だった。

うだるような暑さのなか、レンタルバイクでオフィスを見て回った。といっても資金に余裕はなく、対象はボロオフィスばかり。初期投資をできる限り抑えるべく、安い物件を探していた。

土地勘もなく、知り合いもいない状況のなか、最終的に20平方メートルほどの小さなオフィスを見つけた。同時にハノイのローカルスタッフも採用にかけ、一名内定の応諾をもらえた。

問題は、ハノイの責任者を誰にするのか考えていないことだけだった。

とはいえ、選択肢があるわけでもなかった。ハノイ事務所を一任できる人材がいるとすれば、ホーチミン事務所の若手の日本人営業担当者のみ。

結局、彼にハノイの責任者として異動してもらい、第2拠点をスタートさせたのだった。

今から考えるとアホな選択だった。

ホーチミンの唯一の営業専任者が異動するということは、ホーチミンで営業できる人間がぼく一人になることを意味する。それでは案件の獲得数が圧倒的に減ってしまう。エリアを拡大する前に、組織をつくるべきタイミングだったのだ。

ただし、ベンチャーにはこうした勢いが大事なのもまた事実。実際、このエリア拡大の魂が、当社の強みになっていくのであった。

現在の当社ICONICの事業エリアはベトナムのホーチミンとハノイに加え、インドネシア、マレーシア、そして日本の4か国5拠点にのぼる。日本とアセアン各国において、優秀な現地人材から国内外で活躍する日本人の人材紹介サービスを広く提供できるようになったのも、早くから多拠点戦略をとったからに他ならない。

当社の強みを整理しよう。

1. アジア・グローバル展開する企業へ
2. 人事課題を解決する

これらはエリアのカバレッジがあるからこそなせる業だ。ホーチミンだけ、ベトナムだけでやっていては末端のローカル企業で終わる。

ベトナムの経済は年々伸びているものの、ホーチミンの日系企業向けに営業活動をしているだけでは、いずれ限界が訪れる。

マーケットを拡大しなければという事業成長への渇望から、多拠点展開を早期に意思決定したのだった。

これが当社の強みとなり、また同時に、苦難の元凶ともなるのだった。

ヘッドハンティング

ベンチャーを立ち上げ、事業が軌道に乗り始める。このステージで多くの起業家が直面する課題のひとつが人材不足だろう。

当社も例にもれず、事業が動き出したことで人手が足りなくなっているのには、マネジメント経験が足りない自分でも気づき始めていた。多拠点展開で事業拡大を目指した一方、組織の弱点がすでに見え隠れしていた。

創業3年目を迎える頃になると、メンバーの数は20名近くに増えてはいたものの、実態は営業とキャリアアドバイスをするライン（業務遂行）メンバーのみ。ビジネスの戦略やしくみを考える人材も、経営の悩みを相談できる相手もいない。

どうやってベトナムの地で優秀なメンバーを採用できるのか？

人材紹介サービス業をやっておきながら、いざ自社のコアメンバーを探そうとしても見つからない。自分たちの組織の人材不足に常に悩むようになっていた。

そんなとき、ふといつものように始まったのが夫婦の会話だ。

「今働いている銀行は3年の雇用契約で、更新がもうすぐなんだよね」

いつもアクティブな妻の口ぶりに、若干の迷いがあるのをぼくは感じた。

「あーそっか。そういえばそうだね。いつも充実してて、仕事としては楽しんでるから更新するんだよね？」

「うん。まぁ」

いつになく気の乗らない返事だ。

「報酬だって悪くないし、やってる仕事にもやりがいを感じてるよね。何か問題でもあるの？」

妻の話はこうだった。

「仕事の中身は面白いしやりがいもある。ベトナムに進出してくる日本企業の金融面だけでなく、ビジネスサポート全般にも携われるし、価値のある仕事だとは思ってる。でも……」

「でも？」

「なんていうか、壁を感じてるんだよね」

「壁？」

「あまり言ってこなかったけど、働くなかでどれだけパフォーマンスにつながる仕事をしても、いわゆる現地側の壁を超えられなくて」

当時彼女が勤めていたのは、日本の大手都市銀行のベトナム支店。妻は数億円の案件を1

年がかりで獲得したものの、日本の本社側の手柄のようなかたちで最終的に決着したらしい。

「あの案件がそういうことになるんだ。全部ではないにせよ、明らかに君の営業戦略と努力が実ったかたちだよね」

「私だけじゃなく、社内政治ってこういうことを言うんだよね」

彼女は珍しく弱音を吐くと、さらに続けた。

「じつはそれだけじゃなくって。何事においても〝現地の女の子〟って扱いが抜けなくて。日本から派遣されてきている駐在員と、現地で働く私たちの間に差を感じてしまってね。このままここにいても永遠に下働きなのかなって思うと、ちょっと落ち込んじゃって」

なるほど。国内外に限らず、日本の至るところで存在する大企業病の一種だと感じた。海外に出ていても、待遇の良い大手には大なり小なり社内政治の影響があるわけだ。


そのとき、ふと思った。

なぜ気づかなかったのだろう。

目の前の優秀な人材が仕事で悩みを抱えているのだ。

ぼくは、すぐ彼女を口説きにかかった。

「であれば話が早い。ＩＣＯＮＩＣで働かないか？」

「うーん」

あまり乗り気ではない。本人としても、なぜ気持ちが乗らないのか、理由はよくわからないらしい。

それから数か月、ずっと口説き続けた。

気になっている点を、もっと踏み込んで聞いてみることもあった。

「そもそも今働いている銀行を辞めるかどうか悩んでいる理由ってなんだっけ？」

妻は思いを打ち明ける。

「つぎのキャリアも踏まえて打ち込める何かがほしいのかな。仕事自体の価値は感じてるし、日系企業のベトナム現地での事業に対して貢献できている実感もある。ただ、このままこの会社で働き続けても、より魅力的な仕事や、より大きな物事の変革に携われる実感がなくて」

ぼくは口説き続ける。

「おそらくだけど、ぼくもそう思うよ。ＩＣＯＮＩＣの事業を通して、個人としてのキャリアも、社会に対する価値も、ともに創出していこうよ！」

彼女には葛藤があった。

元来、彼女は事業や経営に対してそれほど興味をもっているわけではなかった。将来は国際開発のキャリアを形成したいと思い、大学ではフランス語を学んで話せるようになり、さらに自らアフリカの地で実務の経験を積んできた。

国際公務員や国連で働くことに興味があり、そのためには大学院に行き、修士号を取りたいとも聞いていた。

しかし、当社の事業に携わることになれば、パーソナルな彼女のビジョンや夢からは少し遠ざかる可能性がある。

それでも彼女は、のちにこう話してくれた。

「私の個人的な希望だけを押し通せば、自分のキャリアのために好きな仕事をしていたと思う。でも人生って、さまざまな折り合いの中で日々めぐり合う機会と向き合うのが重要だと思うんだよね。もちろん人生を過ごすうえでパートナーは大事だし、家族を持つことだって重要。とくに女性には子どもを産むっていう重要なイベントがあるしね。そんなことを総合的に考えながら、自分の夢を今の環境でどうやって叶えるかが重要だと思う。だからＩＣＯＮＩＣにジョインしたのかもね」

あとから振り返って、彼女なりに意味づけをしてくれたのかもしれない。でも、そう感じてくれていたんだと思うと、ぼくは頭が上がらない。

最終的に、彼女はＩＣＯＮＩＣにジョインすることが決まった。

そのことを義理の母に連絡した。

二人で同じ仕事をするのが不安になるのではと思い、事前に報告しておこうと考えたのだ。

ところが返答になんとも苦笑した。

「みぎわ（妻）、二人で働くのはいいけど、ちゃんと給料もらうんだよ！」

いやお義母さん、それは払うし……と思った。というより、もはや運命共同体なので給料より事業でどう稼ぐかのほうが大事ではと、ツッコミどころ満載だったが、どうやら二人で働くことに対する心配はないようで安心した。

一点、思いがけない展開になった。ジョインしてくれた数か月後に第一子を妊娠したのだ。子どもができて飛び上がるほど嬉しかったのは間違いない。そのうえでの贅沢な希望だけど、福利厚生の整った銀行でもう数か月だけ働いていてくれたらよかったな……と（笑）。

ともあれ、こうして能力の高い優秀な妊婦を獲得したのであった。

同じ釜の飯を食べた仲間

新たな優秀人材の獲得は、思わぬところからの話がきっかけになることもある。

豆腐屋のフランチャイズ事業を展開していた頃の同僚で、中里さんという、ぼくより年齢が2つ上の人がいた。

新卒1年目の当時、ぼくは新規に立ち上がる豆腐屋事業に最初から関わっていた。そして2年目の異動で多くの社員が豆腐屋事業にアサインされることになり、そのうちの一人が中里さんだったのだ。

中里さんはぼくのチームに加わることになった。彼にとってぼくは年下であり、社会人経験が少ないぼくにとって中里さんはある意味で先輩だった。にもかかわらず、20代前半の生意気で我の強いぼくに対して、中里さんは常にリスペクトをもって接してくれた。

それからというもの、ぼくが会社を辞めるまで、いちばん時間をともに過ごした同僚といっていい。目まぐるしく変わる環境の中で、正直愚策と思える指示が出てぼくが怒り狂っていたときも、優しく見守ってくれるタイプの人だった。

そんな中里さんがインドネシアに赴任していると人づてに耳にした。SAP（基幹システム）のコンサルティング会社に所属し、インドネシアで大手向けのシステム導入の支援をしているとのことだった。

ベトナムで事業をしていたぼくは、同じ釜の飯を食べた仲間がアセアンで活躍していると聞いて嬉しく思った。

ちょうどお互い日本に帰国しているタイミングで、数年ぶりに再会することになった。ベトナムで経験した数々の話をしたり、彼のインドネシアでの出来事を教えてもらったりしながら楽しいひと時を過ごした。

アセアン各国に行ったことがない人にとってはわかりにくいかもしれないが、それぞれの国は似ている面と異なる面が混ざり合っていて興味深い。

たとえばベトナムは大陸に位置しており、言語体系も中国語に由来している部分が多い。また見た目もベトナム人は遺伝的に東アジア人に近いが、インドネシア人は肌の色が少し褐色で顔も濃い傾向にある。

一方で日本人がアセアン各国で事業を進める際に感じる点は似通っているものだ。中里さんとぼくとで抱える問題や悩み、面白さなどの共通点も多く、話題に事欠くことはなかった。

そんな再会以降、年に1〜2度のペースで中里さんと会うようになり、ある日、きっかけが訪れた。

有楽町の居酒屋で食事をしていたとき、中里さんが話を切り出した。

「じつは現職の会社の業績が悪く、大半の社員がこれから離職する予定になっているんだよね」

「それは大変ですね。中里さんはどうするんですか？」

「自分はちょうどインドネシアのプロジェクトが終わって日本に戻ってきているんだけど、まだ決めてないんだよ」

そう話す中里さんの口ぶりからは、日本に腰を落ち着ける様子は見られない。

「今後も何らかのかたちでインドネシアに関わる仕事をしたいと思っている。インドネシアに行ってからあの国の可能性やポテンシャル、課題など自分なりに理解したつもりで、何かできないかと考えてるんだよね」

「ぼくもベトナムでやってきたので。わかりますよ、その気持ち」

そう話しながら、ぼくはすでにヘッドハンターになっていた。

「中里さん、じつはこれから多拠点戦略を進めるために、ベトナム国外に進出したいと思っているんです。インドネシアでＩＣＯＮＩＣの事業を立ち上げてもらえませんか？」

彼と再会して以降、中里さんをインドネシア事業の責任者としてオファーしようと決めていた。

細かい条件は何も話し合っていなかったが、中里さんはジョインしてくれると確信していた。豆腐屋ビジネスをしていた会社員時代、寝食を忘れて働いた信用のおける仲間だったからだ。アセアンに横展開したいと思っていたぼくにとっては願ってもないチャンス。是が非でも引き入れたい仲間である。

事業を志すとき、大事なことのひとつは「信用」だ。

なかでも、一つひとつのおこないのなかで裏切らない、約束を守る、やり抜くといった姿勢を人は見ている。

たとえば、いつか事業を興したいと思っている人が、勤めている会社の仕事に手を抜いて取り組んでいれば、それを見ている周りの人からは信用を得られないだろう。

約束を守らない人とは契約したくない。

小さなことの積み重ねだ。

日々コツコツと自分との約束を守り、軸を貫いて活動している人は信用できる。

元同僚として、中里さんの人となりや能力を理解しているつもりだった。

その日のうちに二人で今後の計画を話し合った。

ぼくは、中里さんと一緒にやろうと心に決めた。

居酒屋を出てからも話を続けた。

残暑が終わりを告げ、秋風が心地好い夜の大手町。

二人でゆっくり歩を進めながら語り合った。

大まかなスケジュールを確認し終えて別れたが、興奮冷めやらないぼくは、そのまま皇居を半周しながら帰路についた。

暗がりに浮かび上がる皇居を背に、ジャカルタでの事業展開を思い描いたのだった。

人材紹介事業が軌道に

２０１３年、６期目を迎えた頃には社員数は40名となり、ホーチミン、ハノイ、ジャカルタの２か国３拠点にまで拡大していた。

創業地であるホーチミンの人材紹介会社の中で求人数、売り上げ、ともにもっとも高いポジションに成長し、ハノイでも市場シェアを急速に伸ばしていた。

新たに出てくる同業者も含め、さまざまな角度で競合を抜き始め、ベトナムの地でトップに近い地位まで着々と向かっていたのだ。

中里に託したインドネシア事業も同様、順調に案件数や成約数を伸ばしていた。

これらの成長には市場の追い風も影響している。

リーマン・ショックを経た２０１０年代初頭、ベトナムとインドネシアへの進出ブームがやってきていた。

多くの企業が海外展開、とくにアセアン各国に熱視線を送り、ぼくは新たな進出相談に常に乗っている毎日だった。多くの日系製造業やＩＴ企業が新たな労働力の確保と、新たな販売網の開拓を目的にこぞってやって来ていたのだ。

進出企業が調査をするステップはつぎのとおり。

まずは事業の可能性を調べる。日本にいる間に実現可能性をある程度見極めたうえで、現地に来てみて肌感覚をつかむのだ。ベンチャー企業や中小企業であれば社長自ら訪れるケースが多い。大手企業であれば、事業本部長クラスが出張にやって来る。

事業性の調査と並行し、法律・会計（税務）・人材（人事）の調査もおこなう。

現地で会社を設立したり、M&Aをしたりするためには、JETROや法律事務所に出向いて事業概要の法規制や行政に関する知識を得なければならない。そのうえで、会計事務所に行って税務や会計の概要を調査する。

そうして実務的な情報がある程度整った段階で、ようやく人材面となる。

進出企業の事業を成功に導くべく、人材の採用およびマネジメントを検討する段階でぼくたちの出番となる。

当時も今も、毎週のように新規進出の相談に乗っている。

「このような事業を展開する予定ですが、どのような人材がベトナムにはいるのですか？」

「日本語ができる総務を採用しようと思っています。相場はいくらですか？」

「英語ができる○○の技術者を採用したいのですが、マーケットから採用できるものなのですか？」

「ベトナム人の労働気質はどういったものでしょうか？」

日々、そうした質問に答えるなかで新規の企業開拓につながってきたのだ。相談に乗った結果、顧客企業の進出がいざ決定すれば、その多くが採用面でＩＣＯＮＩＣを頼ってくれた。

進出企業の多くは現地に拠点を新設することになるため、採用ニーズが極めて高い。そのため、当社にとっては営業的に優先順位の高い顧客になり得る。製造拠点の立ち上げにともない、年間の採用計画が数十名といったケースも稀ではない。工場のラインの生産管理、品質管理、製造技術、総務、経理の核となるような人員をＩＣＯＮＩＣでほぼ丸ごと採用を決めることも多くあった。

ＩＴ企業の進出も多い。日系ＩＴ企業の社内言語は日本語がほとんどなので、ブリッジＳＥとよばれる日本語ができるＩＴ技術者には人気が集中し、採用の難易度が高くなる。当社のような人材紹介会社にとってはチャンスだが、候補者を獲得するのに苦労するのだった。

さらに２０１０年代の後半になると、新規進出の主役は飲食店や小売店などのサービス業が中心となっていった。多くの日系飲食チェーンや小売店がアセアンの地で影響力を増していったのだ。

今ではホーチミンでも日系の多くの有名飲食店や小売店が事業を拡大しており、日本人としても生活がしやすくなった。新規進出の日系企業が徐々に増え、アセアンにおける日系マーケットの拡大がどんどん進んでいったのだ。

ＪＯＢメディアへの挑戦

こうして人材紹介事業は順調に成長していたものの、さらなる規模拡大を目指すうえで課題を抱えていた。

当時のＩＣＯＮＩＣの事業は顧客企業の採用ニーズと候補者の求職ニーズをその都度マッチングし、成果報酬で料金をいただく人材紹介事業のみだった。経営を盤石にしながら事業規模を拡大するためにも、第２の収益の柱が必要だったのだ。

では、新規事業として何をやるか？

顧客企業に紹介するための人材の集め方は、各コンサルタントが大手求人メディアからレジュメを検索したり、リファーラルといった候補者の口コミを参考にしたり、ＳＮＳを利用したりといった方法がある。

ビジネスの規模が小さいうちはそれらの組み合わせでもなんとかなったが、多拠点でより多くの求職ニーズに応えるためには、より多くの求職者を獲得するための手段が求められる。そのためには大手求人メディアに頼るだけでなく、自社で集客するしくみの開発が不可欠だったのだ。

候補者を獲得するための独自チャネルを持つことは戦略上、優位性を発揮できる。

さらに独自チャネルを運用すれば、事業モデル次第ではあったものの、収益を成果報酬ではないかたちで得られる可能性もあった。

以上の複合的な観点から、ＪＯＢメディア——各国の求人情報や仕事、就職に関する情報を総合的に扱うＷｅｂサービス——に挑戦することになった。

資金力のある大手人材会社がＷｅｂサービスを立ち上げる場合、ＩＴ企業に開発を外注するケースが大半だ。その理由はいくつかあるが、そもそも自前でＷｅｂサービスを開発するためのノウハウがなく、マネジメントができないといった点が大きい。外注先のＩＴ企業に仕様の定義・設計からデザインまでひっくるめて開発を依頼する。

当然ながら、当社にそんな余力はなかった。

それに、ぼくには経営者としての狙いもあった。Ｗｅｂやアプリの開発、マネジメントを経営者として理解し、ＩＣＯＮＩＣをＩＴ企業へと進化させる考えを抱いていたからだ。

そこで自前で開発する意思を固めたのだった。

人材サービスはマッチングサービスであり、情報産業のど真ん中だ。つまり本質的には、ＨＲサービス（人材確保を含む人事を総合的に支援するサービス）とはＩＴサービスそのものといっていい。

しかし、ＪＯＢメディアを立ち上げるとはいえ、何をやっていいかわからないのもまた事実。大まかな構想を描き、とりあえずエンジニアを採用して一緒に開発することにした。

初めて採用したエンジニアは若手のフランス人だった。なぜフランス人？　と思われるかもしれないが、単なる偶然でしかない。たまたま応募してきたのがその彼だった。

いずれにせよ、Ｗｅｂを開発する意味、プロダクトをつくり出す意味とは何たるかもわからないまま、そのフランス人に開発をすべて任せた。

当時のやり取りを再現しよう。

「ＪＯＢメディアを立ち上げたい。求人投稿機能、顧客求人企業用の管理機能、候補者のレジュメ登録機能がまず必要になるんだけど、開発できるの？」

「カンタンだね、そんなのできるよ」

「えっ、そうなの？　どれくらいの期間でできそう？」

「１か月もあれば、だいたいのものはできるよ」

こんな感じで適当な開発が始まった。

機能やユーザーインターフェースに関してもう少し話し込んではいるが、レベル感としてはこの程度の会話で開発が進んでいったのだった。

ＩＴ業界やインターネットサービスに携わる人であれば、これでまともなＷｅｂサービスができ上がるはずもないのは容易に想像してもらえるはずだ。

実際、次々と出てくる課題に一つひとつ向き合う羽目になった。情報のカテゴライズやユーザーの導線設計といったアーキテクチャ（構造）もデータベースもコードの管理も何もかもハチャメチャだったし、そもそもＪＯＢメディアの事業計画もまったく思いどおりに進まなかった。

結果として、初めて立ち上げたＷｅｂサービスは数年後に閉鎖を決めた。さらにその後も何度となくＷｅｂサービスの立ち上げと失敗を繰り返すことになった。

ただし、のちに現在へと続く自社Ｗｅｂメディアの運営や、ＷｅｂアプリのＷ企画・開発の礎を築く重要なチャレンジとなったのもまた事実だ。

何事も、始めなければ始まらない。チャレンジすることで課題が見つかり、改善することで進化できる。無謀な挑戦も、振り返れば成長の糧となっているものなのだ。そう、あきらめない限り——。

第 5 章

BORDERLESS

アセアン随一の人材マネジメント会社に

チャンスの前髪

ＪＯＢメディアの立ち上げに挑戦したものの、うまく進まない状況が続いていた。

当時のビジネスモデルは、依然として人材紹介事業の１本のみ。収益構造の幅を利かせるためにも、新規事業へのチャレンジが求められていた。

そんな当社の事業展開に新たな兆しが見えるきっかけは、思いがけないところからやってきた。


日本から起業家の先輩や友人がベトナムに頻繁に訪れるようになった２０１０年代初頭。今では上場している先輩経営者の森智宏さん（株式会社和心・代表取締役）がベトナムに来られた際、「お茶しよう」と誘ってくれた。

そこでオフィス近くのディエンビエンフー通りのヘム（小道）に入ったローカルカフェで、カフェスダー（練乳入りベトナムアイスコーヒー）をすすりながら話をすることになった。

「やす、ちゃんと経営してるか？」

体がデカくて強面で、いつも強気な先輩肌の森さんはぼくのことを「やす」とよぶ。

「いえいえ、まだまだ〝ちゃんと〟には程遠いですよ。それより森さん、ベトナムに進出してきて何をするつもりなんですか？」

「俺、日本でアパレルや小物をリアル店舗やWebで売ってるだろ？　そのデザインとかをベトナムでオフショア的にやろうというのが一つ。もう一つが、タイでモノを製造してるから、アパレルや事業をベトナム国内向けに展開できないかと探ってるところなんだよ」

森さんの事業意欲は相変わらずだ。

「それはいいですね。いろんな手を打ててすごいっすね」

「やす、わかるか？　経営っていうのはな、ゴールから逆算して、自分がやれることを一つずつ設計して実践していくものなんだ」

「ほー。なるほど」

起業家が集まると、こうした経営論や事業論がたいがいスタートする。


そんな昼下がりの会話を終えたとき、ぼくはひとつの転機を迎えていた。そのあと、日系大手メーカーのOさんから相談を受けることになっていたのだ。Oさんからのメールによると、「ベトナム国内工場の人事に課題があるので相談に乗ってほしい」とのことだった。

森さんと別れたあと、Oさんが勤務するオフィスで話をすることになった。

応接室に通され、軽い雑談のあとにOさんの口から語られたのは、当社にとって新たなチャレンジとなる相談内容だった。

「年々インフレが続くベトナムで、人材の定着に課題があるんですよ。そこで社内の人事制度に問題があるんじゃないか？　ということで安倉さんに相談に乗っていただきたいと思い、本日お声がけをさせていただきました」

正直、人事制度の「じ」の字もわからなかったが、そこは営業マンの自分である。ヒアリングしながら機を見ていた。

「安倉さんの会社では、毎年報酬に関する昇給率や賞与の調査をおこない、レポートを配信されていますよね？　人事制度の策定もサポートされていますか？」

ぼくはこう思った。

なるほど、当社の給料データに興味を抱いてくれたんだな――と。

給料データは現在も調査・提供しており、当社のコアコンピテンシー（独自の強み）のひとつとなっている。データを持っているICONICと、安倉という個人を少し高く評価してくれていそうな雰囲気を感じ取った。

ぼくは満を持して語り始めた。つい1時間前に、森さんと語り合った経営論を……。

「Oさん、そもそも人事制度って、何のためにつくるかご存じですか？」

「従業員の満足度を高めるためですか？」

「それもありますが、本質は違います。それは経営目標を達成するためです」

「おお、なるほど……。それは、つまりどういうことですか？」

そもそも人事制度の細かい中身なんて1ミクロンも知らないぼくは、詳細な設計の仕方など説明できるはずもない。ここは、フレームワークで攻めるしかない。

「Oさんの会社は何のために事業をされているのですか？　各企業に固有のミッションやビジョンはあると思いますが、シンプルにいうと企業は収益を上げるために事業をしています。収益を上げるためには経営をする必要があり、経営をするためには計画が必要ですよね。その経営計画を達成するためには何が必要ですか？　そもそも誰がその経営計画を実行するのですか？」

そのときのぼくは、人事を知り尽くしたスペシャリストに見えたはずだ。

「そうです、社員のみなさんですよね。事業計画を推進するためには現場で働く従業員のみなさんに落とし込まれなければならない。そこで人事制度が重要になってくるのです。つまりは人事制度をつくる前に、御社は何をいつまでに達成するのかを明確にしなくてはならないのです。事業と組織は両輪で回っているわけです！」

よくここまで中身がない状態で語れるなと、自分に対して半ば感心するほどだった。

そして何度も念押しした。

「ちなみに、これまでICONICでは人事制度のコンサルティングをしたことはありませんのでその点はご了承ください。ただしデータは持っていますので、ぜひご検討ください」

この言葉を残し、オフィスをあとにした。

Oさんからメールが返ってくるのに、それほど時間はかからなかった。

「安倉さん、ぜひ前向きに検討させてください。次回のステップとして、弊社の社長と面談の場を設けますので、今日の話をしてくださいますか」

しゃ、社長との面談……どうやら、ぼくの話は響いたみたいだった。

臆する気持ちがなかったかといえば嘘になるが、新しいことが始まるきっかけなんていつだって些細なものだ。

「幸運の女神には前髪しかない」という言葉もあるように、日々努力を積み重ねた者に対して、ふとしたタイミングでチャンスの前髪がふわりと舞い降りる。それを掴み取り、勇気をもって前に進めるか、臆病なままで終わるかだけなのだ。

ぼくは躊躇することなく手を伸ばし、チャンスの前髪を握りしめたのである。

アセアンで唯一無二を目指して

人事制度づくりをサポートする――これは組織人事コンサルティングという、新たな領域に挑む覚悟が求められることを意味していた。

組織人事コンサルとは文字どおり、企業の組織人事に特化したコンサルティングサービスをさす。顧客企業の組織人事に関する課題を分析・明確化したうえで、その解決策を提案しなければならない。

これまでＩＣＯＮＩＣがおこなってきたのは、組織の構成要因である人を獲得するための採用ソリューションである。ＨＲ業界の中でも採用マーケットのサイズがいちばん大きい。

しかし、企業の組織人事に関する課題は獲得（採用）だけではもちろんない。採用した人材が育成され、活躍し、定着し、法律的にも正しく運用されていかなければならない。

企業運営の本質は、事業（ビジネス）が組織（人）によって運営される点にある。つまり事業をおこなうためには「人」をマネジメントしなければならない。単純に聞こえるが、じつに奥が深いのだ。

とくに終身雇用と年功序列を軸とした人事制度で組織がまだまだ運営されている日本企業で働く日本人社員の場合、ベトナムを始めとしたアジア各国のマネジメントを任されると戸惑うことが多い。新興国では勤続年数が短く、ゆえに離職率が高く、昇進昇格のスピードも速いからだ。

他方で同調圧力の強い日本では、空気を読んで残業する文化が残っているはずだ。しかし家族を大事にするベトナム人が残業することは少ない。

加えて若い国なので30歳前後でマネジメント職に就くケースも多い。一定規模以上の日本の製造業の場合、30歳でマネジメント職を任されている人は稀だろう。高インフレが続くべトナム社会では、毎年の昇給率が10％程度になることもザラだ。

つまり1社のみで長く勤務することを前提とした日本と、ある一定の年齢でキャリア形成を軸に転職するのが一般的なベトナムとでは人事のしくみが根本から違うのだ。

組織人事コンサル事業を始めるということは、こうした前提条件や課題を熟知したうえで、人事のしくみ＝人事制度をベトナムに適応したかたちで策定する必要があることを意味している。

かねてより、そうした人事課題に対してサービスを提供できないかと考えていた。

アセアン全体で競合他社を見渡しても、採用の支援から組織課題までの人事全般をトータルで解決できる企業はただの1社も存在していなかった。

あの日本最大手のR社でさえ、採用事業と組織人事コンサル事業を別会社にして進出してきていたが、のちに組織人事コンサル事業は撤退している。

両事業を同一の組織体でおこなうのは極めて難易度が高いのだ。

逆にいえば、それが可能になれば顧客企業への提供価値が格段に高まり、競合優位性が圧倒的に増すことになる。

チャレンジしない考えは、ぼくには微塵もなかった。

それから、ぼくたちは評価・報酬のしくみといった人事制度づくりに始まり、育成などの組織開発、そして労務問題の解決など、人事課題を一気通貫でサポートするための体制をコツコツと築き上げてきたのだった。

現在は東南アジア全体で組織人事コンサルのプロジェクトを推進するまでになっている。採用から組織課題までトータルに、かつアセアン全体を面で対応できる唯一無二の会社になれたという、確固たる自負がある。

もちろん、ここまでに至る道のりは平たんではなかった。

ぼくは未経験の状態から人材紹介事業を立ち上げ、数々の失敗を踏み台にして会社を成長させてきた。それはそれで大変だったが、組織人事や戦略人事、組織開発、労務まで含めた人材マネジメント全体でサービスを提供できる体制を築き上げる苦労とは、まったく難易度の異なることであった。

不安

Oさんとの面談を経て、人事制度設計のコンサルティング案件が受注に向けて着々と進んでいた。

新規事業にチャレンジできる喜びがある一方で、ぼくは不安になっていた。

超有名企業の人事制度設計を引き受けられたとしても、いったい誰がやるんだ?

少なくとも、ぼくにはコンサルティングはできない。そして、何より向いてない……。

そんな不安な日々を過ごしていたとき、ある出会いで物事が動き出すことになった。

海外転職をメイン事業としている当社では、候補者獲得のために海外転職イベントに定期的に出展していた。今のようにオンラインでおこなうのではなく、毎回ぼくが東京に戻って参加していた。

その海外転職イベントは、外苑前の駅から神宮球場に向かうオシャレな街並みの一角にあるオフィスビルで開催されていた。いつものごとく参加していたところ、主催者の女性の田村さつきさん（GJJ株式会社Founder）に声をかけられた。

元気な田村さんはいつも声が大きい。

「安倉さーん！　お久しぶりです！　お元気ですか？　って聞くまでもないですよね！　安倉さんいつも元気ですもんね！」

この人の元気には負けるなと思っている間にも、田村さんの話は続いている。

「こちらの田中さん、アジアで人事関連の仕事を希望されているんです。とても優秀な若い女性なんですけど、ぜひ相談に乗ってあげてもらえませんか？」

日本人に向けた海外転職の職種には主だった傾向がある。さまざまな業種・職種の求人が出されているなか、事業に直接関わる求人案件が多い。具体的には、営業系職種の顧客獲得や顧客フォローといったフロント業務、あるいは製造業での製造管理やＩＴ企業におけるプロジェクトマネージャーといったモノづくりの業務である。

一方でコーポレート業務とよばれる総務・人事・法務・経理などのニーズは少ない。

このうち経理については日本の親会社との連結や、在庫管理や財務管理などの役割があるため、総務・人事・法務に比べると求人案件は比較的多い。

しかし人事については、海外では現地人材の採用が主となるため、その国の人を求めるニーズが高いのだ。

「残念ながらアジアでは、人事の案件はあまりないんですよ。人事コンサルもアセアンではまだまだ大きなマーケットがあるわけではなくてですね」

「そうですよね……。他のエージェントにも同じようなことを言われました」

肩を落とす田中さんを見ていて、ぼくは閃いた。

なにより田中さん、めちゃくちゃ優秀そうだったのである。

神戸大学を卒業後、ベンチャー系人材研修会社で営業職を経験したあと、人事に興味があることから社労士事務所に転職し、社会保険労務士の資格を取得していた。

ぼくは続けた。

「そうなんですよ。だからアセアンには、人事コンサルや人事の案件はほぼないんです。弊社をのぞいては」

転職支援モードから、自社採用のヘッドハンターに変わった瞬間だった。

「弊社の既存事業は顧客企業の採用支援ですが、ある大手日系企業の人事制度をつくるコンサル案件が受注手前まできているんですね。もし田中さんが弊社にジョインしてくれたら、組織人事コンサルの仕事も任せられるんです」

社長兼転職コンサルタント兼人事本部長を兼務している自分だからこそ話が早いのだった。

田中さんは目を輝かせた。

「まさに私がやりたいことですね！　ちょっと詳しくお話を聞かせていただけますか？」

起業家というのは、なんとかするのが仕事なのだ。

田中さんはＩＣＯＮＩＣにジョインすることが決まり、ほどなくして人事制度設計のコンサルティング案件も無事受注した。

この1社の経験が組織人事コンサルという新規事業の太い幹となり、さまざまな枝が派生して事業が成長していったわけだが……物事はそう簡単には進まないのだった。

若き才能が集まるベトナム

２０１０年代の前半になると、創業した当時とは打って変わり、さまざまな人たちがベトナムに集まるようになっていた。

あげればきりがないが、いろいろな人たちがこの国で挑戦し、瞬く間に成果を出していった。

ある人は事業を成功させ、またある人は投資家として成功し、またある人は会社の中で成果を上げて出世し、より大きなステージへとステップアップしていった。

集まるときは本当に集まるのだなと、改めて思う。

なかでも、今ではベトナムでトップを走るピザチェーンPizza4P'sを創業した益子陽介さんの話は強烈だ。

今となっては、Pizza4P'sはベトナムで知らない人はいない一大チェーンである。そんなPizza4P'sは当時から、とくに日本から来るＩＴベンチャーや日系企業の人たちが必ず訪れる場のひとつになっていた。

もともと益子さんは、サイバーエージェントの投資部門でベトナム企業への投資を担当されていた。ひととおりの実績を上げたのち、教育や食の領域で起業しようと考えていたところ、ベトナムに赴任されたのだった。

益子さんはインドのヨガに傾倒していた時期があるらしく、細身でヨガの先生然とした印象と、今どきのＩＴ起業家の垢抜けた印象を足して2で割ったような雰囲気だった。

「安倉さん、ベトナムでピザ屋をやろうと思うんですよ」

「それはまたすごいっすね。ＩＴやスタートアップ企業への投資からピザ屋とはまた破天荒な（笑）」

「学生の頃からの友人でピザ職人をしているやつが一緒に創業したいって言ってくれてるんですよ。あとぼく、ピザ窯をつくるのが趣味ですし！」

友人のピザ職人はわかるとして、ピザ窯づくりが趣味だからといってお店を出す発想にはなかなか至らないだろう。

「それでこんな事業計画を考えているんですけど、見てもらえます？」

発想は破天荒だが計画は緻密だ。

「へー。ちゃんと考えてますね。ま、やりたければやればいいんじゃないですか」

「それだけですか（笑）」

そんな軽いタッチのやり取りのあと、

「じつはもうひとつ相談があって。出店立地で最終候補が二つあるんですが、安倉さんはどっちを選びますか？」と聞かれた。

候補地の一つはサンワタワーの裏で人通りが多い目抜き通りの一角。そしてもう一つは日本人街のレタントン通りのヘムが入り組んだ奥地。つまり1等立地と3等立地とのこと。たしかに悩む選択だ。

「それぞれの金額はどうですか？」

「雲泥の差がありますね」

「だったら、ぼくなら3等立地ですね。最初の事業は小さく産んで大きく育てるが鉄則なので。飲食業において立地は重要な要素ですけど、リスクは最小化したほうがいいと思いますよ」

「ぼくもそう思ってるんですよ。常識で考えれば1等立地なんですが、ピザは最悪デリバリーもできるんで」

益子さんは第1号店をオープンする際に創業資金が足りなかったらしく、お店の内装の部材をバイクで買い付け、自ら現場監督をやってのけたツワモノだ。日々奮闘する姿を見て逞しいなと思った。


またあるときも、益子さんはすごいなと感心した出来事があった。

「安倉さん。ピザのおいしさを決めるのはチーズなんですよ」

「そうなんですか。それは知らなかったな」

「ではチーズをつくる原料は何だと思いますか？」

「牛乳ですか？」

「そうです。でも、ベトナムではおいしい牛乳がなかなか手に入らないんですよ」

ぼくも同じことを思っていた。日本に帰国した際に牛乳を飲むと、こんなにうまかったのかと感心するほどだ。

「それで牛乳って牛が生産しますよね？　なのでぼく、牛を飼うことにしたんですよ」

「ええっと、1店舗しかないピザ屋さんで牛を飼う人を初めて聞いたんですが、大丈夫ですか？　というか、そもそもチーズってそんなに簡単につくれるんですか？」

「そこなんですよ。チーズの品質がなかなか安定しなくて苦労してるところなんです」

「というより、そもそもどうやってチーズのメニューを開発してるんですか？」

「YouTubeを見て研究しています！」

天才の発想にはちょっとついていけない感じだったが、Pizza4P's はその後、The New York Times や Forbes の本家アメリカの誌面でアジアを代表するレストランに選ばれるまでになった。さらに食品メーカー事業にも拡大し、今やベトナムやカンボジアを含めて従業員が2000名を超える企業へと成長を遂げている。

ぼくたちの周りには益子さんだけでなく、多くの友人たちが続々と起業し大成功を収めたり、日本の本社に戻り事業成長に貢献したりする仲間たちがたくさんいる。

そうした猛者たちが周りにひしめいていて、ぼくはベトナムライフがますます楽しくなるのだった。

日本への逆輸入

前章で少し触れたように、2010年代に入ると進出企業のメインだった製造業に加え、ＩＴ企業やベンチャー企業のベトナム進出が目立つようになってきた。慢性的に続くＩＴエンジニア不足から、若く優秀なプログラマーの多いベトナムに白羽の矢が立ったのだ。

オフショア開発とよばれ、ソフトウェアやＷｅｂサイト、アプリの開発を受託する会社から、自社のＩＴサービスを開発する会社まで、大中小問わずさまざまな会社がこぞってベトナムに進出してきた。

ぼくは30歳を迎え、ようやくビジネスの知見が深まり、チャレンジ精神に実力が伴うようになってきた頃だった。

ＩＴベンチャー企業の経営者の多くも30歳前後の同年代が多く、熱量をもった優秀な経営者の知り合いが加速度的に増えていった。ベトナムに進出するにあたり、この国や人材の特徴、そしてマネジメントについて聞きたいと、さまざまな会社の経営者がぼくのもとを訪れてくれるようになったのだ。

これまで経営の悩みを一人で抱えていたぼくにとって、同じような悩みや苦しみをもつ同年代の経営者仲間が増えていく喜びは言葉にできないほどだった。

孤独を受け入れながら自分の道を貫くストイックさも大事だろうが、やはり人生には仲間がいることで得られる幸福があると痛感した。


そんな同年代の経営者たちからも勇気をもらいながら、ハノイへの事業展開を皮切りに、インドネシア、マレーシア、シンガポールへと年を追うごとに進出を果たしていった。

さらに日本への逆輸入もひとつのチャレンジだった。インドネシアに続き、日本事業に挑戦したのだ。

日本事業を始める際にもさまざまな人たちから反対された。競合がひしめく日本でやるのは難しいし、それはＩＣＯＮＩＣの強みではないというのが、おもな理由だった。

しかし日本事業はＩＣＯＮＩＣにとって避けては通れぬ一大マーケットなのである。

事業家のぼくにとって、事業の成長を追求するのは重要なテーマだ。当然、自分たちの強みを活かしてマーケットを広げるのは重要な戦略となる。

ぼくたちは、ベトナムではそれなりに知られる存在にはなっていたものの、日本での認知度は皆無に等しい。新規で進出する会社がぼくたちの存在を知ることなく、日本で有名な競合会社に流れるのをよく感じ取っていたのだ。

事業として成長するためにも、日本マーケットの開拓の成功は必至なのである。

また、そもそも海外だけで生きるのは自分が本当にやりたいことではない。

若い時期に一人で海外に出たことで、改めて日本の良さや可能性、すばらしさに気づいたのである。

きれいな街並み、犯罪率の低さ、サービス業のレベル、飲食店を含む食品のレベル、モノの品質基準の高さもそうだ。

最近では目立たなくなった日本のモノづくりの技術力もまだまだ世界で負けてはいない。

しかし日本の本当のすごさは、その歴史や文化、自然の豊かさだろう。

外から見ると極めて特異でレベルが高く、世界の人を魅了させるものがある。

海に囲まれた日本は魚介類が新鮮でおいしい。

国土の多くが森林に占められており豊かな自然を楽しめる。

加えて1500年以上の歴史があり、その土地特有の文化や伝統があり面白い。

歴史ある京都だけではなく、全国のほぼすべての都道府県に最低一つ以上は世界トップクラスの可能性を秘めた場所があるものだ。

そして、何よりぼくは東京という街が好きだ。

先進国の中でも、値段が安くクオリティの高いサービスを享受できる。そのバラエティも豊富だ。エンタメも充実している。

世界を行き来するようになって15年以上経つが、東京はまったく飽きない。

ますます好きになる。

少なくとも、アジア人にとっては最高の街であるのは疑いようのない事実である。

ぼくは不思議に思いながら語ってしまうのだ。

東京に帰って東京在住の人たちに、ぼくがいちばん熱量をもって東京の良さを語っている。

東京がいかに優れた街なのかを、東京在住の人に語るのは滑稽とさえ思える。

でも、あるとき気づいた。

世界を知り、日本を知るからこそ、その真の良さを感じられるということを。

自分のオリジンである日本と日本人を、他国にいるからこそ客観視できる。

常に〝比較〟しながらぼくは生きているのだ。

比較優位や劣位に気づくこと自体が頭の刺激になるし、何らかの発見にもつながりやすい。

いろいろな場所でさまざまな人たちと触れ合うこと、それ自体が人生に刺激を与えてくれる。豊かさを感じさせてくれる。


ビジネスメリットは言わずもがなだ。

東京ほど人口が密集したマーケットはなかなかない。東京都に神奈川県、埼玉県、千葉県を加えた関東圏の人口は世界最大の3500万人を誇り、一人あたりGDPも相対的に高い。

この街で事業を興すことは、アセアンで生き抜くためにも重要な戦略なのだ。

加えてファイナンスの容易さも特出している。

いつまで続くかわからないが、日銀および政府主導のゼロ金利政策にともない日本の金利は世界と比べて極めて低い。さまざまな融資制度によってまとまった資金を借りやすい環境なのだ。連帯保証制度などの問題はあるものの、海外発のベンチャー起業家にとっては考えられないほど恵まれた環境である。


以上にあげた理由は、ぼくを挑戦に駆り立てるには十分すぎる材料だった。

そもそも可能性があるというだけでベトナムにやって来た人間だ。

日本事業にチャレンジしない理由なんて、何ひとつ見つけられないのが本音だった。

苦渋の決断

日本事業を始めるといっても、何をどうするのかはまったく決まっていなかった。

どこに何を提供するのかを決める前に、やりたい気持ちが先行していたのかもしれない。

資金が潤沢にあるわけでなく、ぼくたちの強みの活かし方もわからない。

そんな模索状態の中で最初に始めたのは、日本国内におけるホワイトカラー層の中途採用の支援事業だった。

専門的な話になるが、日本国内の人材採用マーケットには、大きく分けて新卒採用、中途採用、非正規雇用採用、人材派遣があげられる。大分類だけでもこの四つがあり、業界やエリアにも分けると数多くのプレイヤーがしのぎを削っているマーケットだ。

単にベトナム発の会社が日本に帰ってきても弱小プレイヤーの一角でしかない。

そんななかで最初にスタートしたのが、外国人材に強い中途採用の支援事業だった。日本国内で外国人の就業支援をしたいという純粋な思いと、他社との差別化ができる可能性が高いのがその理由だった。

日本国内で、ベトナム人やインドネシア人を始めとした外国人の採用支援を始めた。可能性とやりがいを感じる面はあったが、担当責任者と話し合った結果、早くも1年後には方針転換の判断を下した。

理由はたくさんあるが、一つは自社の優位性が活きないこと。そしてもう一つはマーケットが小さいことだった。この領域で踏んでも可能性が低いと判断した。

ホワイトカラーの外国人採用は、突き詰めると日本語に行き着く。日本人レベルに流暢に話せないと採用基準に満たないのだ。

日本で働きたいホワイトカラーの外国人は多くいたが、言語の問題で受け入れが難しかったのである。日本が抱える根本的な課題にぶちあたったのだ。

外国籍人材の採用に積極的に取り組んでいると銘打っている会社でさえ、日本語の流ちょうさを採用条件に設定している。それで外国人の採用に〝積極的〟といえるのだろうか。単に日本国籍に限定していませんと言っているにすぎないと感じた。

人口が減りゆく日本で、とくに技術者やサービス産業の担い手が圧倒的に不足しているにもかかわらず、これらの職種にさえもハイレベルの日本語を求める。

世界中から優秀な人材を採用するためには、ビジネスでの公用語を英語にする必要がある。そうしなければ、東アジアの片隅で、小さく余生を過ごすかのように衰退していく日本が待ち受けているのみだ。

そうならないためには、個々の会社だけでなく、日本の社会全体として、初等教育から変えていかなければならないだろう。大きな話のように聞こえるかもしれないが、これが外から日本を見たまぎれもない現実だ。

ともあれ、苦渋の決断だった。

しかしチャレンジに方向転換はつきものだ。

外国人材の中途採用支援事業から、グローバル事業を推進するための日本人材の転職支援にかじを切ることになった。

新規事業の難しさ

さて、人事制度設計の案件を受注し、組織人事コンサル事業の立ち上げに向けて本格的に動き出すことになった。

担当者も決まり、あとは顧客企業のニーズをヒアリングしながらサービスをつくり上げていけば大丈夫との謎の自信があった。

しかし、現実はそんなに甘くはないのであった。

田中さんが無事入社してくれて、既存の人材紹介業務と並行し、人事制度設計業務に着手し始めたなかでぼくは知ったのだ。

じつは、田中さんは人事制度設計の経験自体はなかったのだ。そのときまで、組織人事コンサルの構造的な違いを理解していなかったのである。

彼女がこれまで経験してきたことは大きく二つある。

一つは、経営者向けのトレーニングサービスであり、いわゆる人材育成分野。

そしてもう一つは、企業の労務面をサポートする社会保険労務士業務。

この二つの経験を積んでいたが、いわゆる企業の人事制度設計をつくり込む経験はなかったのだ。

といっても田中さんは何も悪くない。

経験自体はないとうっすら聞いていた気がするが、採用したい思いが強く、聞きたくない情報は自然とシャットアウトしていたのかもしれない。

いずれにせよ、キックオフしたあとに、苦悩する彼女の壁打ち相手にしかぼくはなれなかった。

正直に打ち明けると、この時点で最悪を想定さえした。

かたちにならなかった場合、土下座して返金も含めて対応しないとな――と。

しかし、あたり前だが最悪の結末を迎えないためにも一生懸命に考えた。

そんなある日、田中さんから相談があると連絡が入った。

「じつは、日本に帰ろうと思っているんです」

「えっ」

絶句である。

新規事業である組織人事コンサルの立ち上げに加え、既存事業の営業やサービスのオペレーションにおいても重要な立場になりつつあった彼女が、急に「辞めたい」と言ってきたのである。衝撃のあまり言葉を失った。

おそるおそる、ぼくは聞き返した。

「な、何があったの？」

「仕事も充実しているし、アセアンで人事の経験をさせていただき、社長には本当に感謝しています」

「では、なんで？」

「日本に残してきて、以前からお付き合いをしていた方より結婚を申し込まれていて、彼と一緒になりたいと思っているんです」

「なるほど……」

すでに組織の中で大事な役割を担っていたし、今後もますます重要な役割を期待していた人材だけに本当に苦しかった。

全力で引き留めようとも思ったが、涙を浮かべながら「彼と一緒にいたいです」と言われたときに腹をくくった。

「今まで、ありがとうね」

そう、振り絞るように伝えた。

その後、彼女は結婚して二人のお子さんの母親となり、旦那さんが経営する成長企業で役員として活躍するまでになっている。

退社が決まってからも、最後まで本当によく貢献してくれたことを心から感謝している。

しかし――。

目下、問題は何も解決してはいない。

人事制度設計をおこなう担当者がいなくなったのだ。

もはや頼めるのは一人しかいなかった。

そう、Ｗｅｂサービス事業の責任者を担っていた妻であった。

奉仕の精神

もうひとつの新規事業であり、失敗しかけていたＷｅｂサービスをマネジメントしてくれていた彼女に伝えた。

「田中さんから退職願が出ている」

「なんと！　それは大変だね。どうするの？」

「そうなんだよ。どうしようかずっと考えていたんだけど……」

「あの大手企業の人事制度設計プロジェクト、田中さんに任せていたよね」

「そうなんだ……」

ぼくは勇気を振り絞って妻に伝えた。

「あのプロジェクト、君に任せたいなと」

「⁉⁉」

妻の目が点になっている。

「これまで人事制度設計の大枠を学んできて、君ならできると思うんだよね。というか能力や性格が向いていると思う」

めちゃくちゃ直感でいい加減な誘い方だったが、本心でそう思っていた。

彼女とこれまで一緒にいて、特性が向いていると思い判断したのだ。

藁にもすがる思いだったのも事実だが、この決断が功を奏した。


その後、初めての人事制度設計を完成に導くまでには、じつにさまざまな苦労があった。悪戦苦闘し、それでも立ち上がり、顧客企業に無事に納品するに至った。

今の組織人事コンサルティング事業の発展は、突然、責任者に抜擢されたにもかかわらず、立派にやり遂げてくれた妻の存在抜きには語れない。

何が何でもクライアントの価値につなげようとする、彼女のプロフェッショナルな向き合い方に頭が上がらないのだ。

人には適性があると思っている。

成功するためには才能と努力のどちらが大事かといった問答がなされる。

ぼくの答えは明確であり、それは両方である。

ただ、それはいわゆる世の中の多くの人が想像するような才能ではない。

正確にいえば、適性といったほうがいい。

彼女を見ていて、ぼくはそう感じたのだ。

コンサルティング事業でもっとも重要なことは、

「専門性への追求」とともに
「顧客や利用者に対する奉仕の精神」

だと考えている。

ビジネスは商売である。事業を継続するためには利益が必要で、ともすれば収益の増大のみに意識が向きがちだ。

しかし、本質的なコンサルティングビジネスは、ビジネスの側面と同じくらいに奉仕の精神がなければ高いパフォーマンスは出せないと感じていたのだった。

彼女は起業家の妻として経営の一端を担ってくれている。

しかし一方で、彼女の両親はともに医療機関で働く福祉・医療の人なのだ。

両親を尊敬する彼女の本質に、福祉領域で人に貢献したい思いが根づいていた。

そのことを理解していたぼくは、彼女の論理的思考能力やクライアントへの説明力の高さと相まって、「イケる」と判断したのだった。

自分の狙いや考えをひととおり説明すると、彼女は「やってみる」と返答をくれたのだった。

そんな彼女は第2子を産んだばかりだった。

2歳と0歳の子どもに母乳をあげながら、周りの人に助けられながら第2の事業を軌道に乗せてくれたのだった。

そのおかげもあって、今やICONICはグローバル展開している企業のライフステージにあわせて組織人事コンサルティングサービスを一気通貫で提供できる、アセアンで唯一無二の会社に成長することができたのだった。

組織人事コンサルというオンリーワン

組織人事コンサルティングとは具体的に何をするのかとよく聞かれる。

大別すると三つに分けられる。

1．人事制度

簡単にいえば、人事のしくみやルールづくりをおこなうこと。組織で働くメンバーに対して報酬制度、評価制度、等級制度を整え、働く人たちがモチベーションを高め、成果を発揮できるようなルール体制を構築すること。

2．組織開発

組織を構成するメンバーに対して、育成システムを体系的に構築し、人材が育ち長期的に活躍できる体制を構築すること。具体的には、組織の状態を診断するところから始めることが多い。人でいう健康診断だ。組織診断をおこない、現状分析し、組織を開発していく。若手人材の育成、幹部人材の育成など、職層に分けて研修をおこなったり、具体的な専門性を伸ばすための研修（営業力やカイゼン力など）をおこなったりする。

3．労務

労働法に準拠したかたちで労務リスクを最小限に抑えながら組織運営をおこなっていく。具体的には就業規則の策定、労働契約書の整備、労働ビザの取得など、組織を運営していくなかでの守りの要のような役割である。

ミッションやビジョン、会社の規模、経営計画、業種、職種によってもあるべき姿や向かうべき方向性はそれぞれ違う。

そこで、組織人事コンサルの具体事例を紹介しよう。秘匿性をもたせるために、具体的な数字や業種は変えて一般論として例に出す。


(日系企業A社の事例)


日系A社は海外進出から10年以上経過、ここ数年とくに離職が顕著になってきた。

社員規模は数百名で、さまざまな技術者を必要とする事業を展開している。

経営者や人事にヒアリングしたところ、「離職する人材の多くは人事評価が低く、とくに問題はないはずだが、これほど離職が続き、採用が苦戦すると大きな問題に発展しそうだ」とのことで相談が入った。

状況をつかむために組織サーベイ(組織の問題点を把握するための調査)をかけるとともに、顧客企業の管理部門から提供されたデータを分析してみたところ、多くの事実が浮き彫りになってきた。

まず、「離職者の多くは人事評価が低い」とクライアントは感じているものの、データを分析した結果、過半数以上の離職者の評価は「良い」「どちらかといえば良い」となっていた。さらに離職理由には「経済的な理由」「とくに報酬金額の低さ」が顕著に現れていた。

そこで競合他社の給料状況を調べることでベンチマークをおこない、他社と比べて遜色なく、また大幅に出しすぎることもない金額帯に報酬制度の改定を実施した。

(欧州系企業B社の事例)

欧米系企業B社は、前述の日系企業とは違った課題を抱えていた。

B社は専門的な商品を取り扱う販売会社で、ローカルベトナム人スタッフの多くはセールスパーソンだった。ローカルメンバーの売上実績が会社の業績に多大な影響を与えることもあり、日系企業と比べて報酬のメリハリをつける欧米企業らしく、しっかりとリテンション(人材の確保)を保つ人事制度を整備できていた。

しかし、課題は人件費が高騰しすぎている点にあった。エースや抜けられては困る人材のみ報酬を手厚くし、生産性が低い人材には相応の報酬設計に変えたことで、より長期的に採用も定着もしやすい人事制度に変更できた。

これらの事例はほんの一例にすぎない。

組織の課題は千差万別であり、事業運営者は常に頭を悩ませながら課題に取り組んでいる。人事の解決は、その専門性の高さと、人間関係の機微(あの人に言われると腹が立つといった属人的な理由など)も相まって自社だけで実施するとうまく運ばないケースも多い。

そこで客観的かつ専門的な視点で組織人事を俯瞰し、解決策を提示できるプロフェッショナルの存在が不可欠となるのだ。

事業の成否の半分程度は、組織運営の成否にかかっている。そういっても過言ではないほどに、組織と事業は両輪なのだ。

グローバルに活躍する人と企業にとって価値あるサービスを、今後もブラッシュアップさせていく。

第 6 章

BORDERLESS

組織崩壊

膿の大爆発

組織人事コンサル事業が軌道に乗り、毎年右肩上がりの成長を記録。さらに組織も30名、50名、100名と急速に拡大していった。

創業から8年を迎えた頃になると、ICONICは採用から組織人事コンサルまで総合的にサポートできるアセアンで唯一無二の人材サービス会社として高く評価される存在へと飛躍していた。創業当時にライバルだった競合会社には売り上げの規模やサービスの総合力などで追い抜き、今では逆に背中を追われる立場になった。

人こそが発展の肝であり、人を軸とした社会のインフラになるような事業を興したい――。そんな創業当時の夢は、少なくともアセアンという地域においては実現できたのではないか。まだまだ成功には程遠いものの、がむしゃらに突き進んできた成果が実りつつある充実感を得られるようにはなってきていた。

ところが、そんな成長の裏側で組織に亀裂が生じ、気づいたときには取り返しのつかない事態にまで発展していた。

組織でも信用でもなんでもそうだが、何事も積み上げるためには時間がかかるが、崩れ去るのは一瞬だ。

成長の裏側の見えないところで膨らみ続けていた膿がついに爆発し、組織崩壊というかたちで眼前に突きつけられることになったのだった。

一連の問題が表面化するまで、自分の思いと最低限のバックオフィスのみで複数国での事業を展開してきた。つまり組織をマネジメントするためのしくみがないままに、先を急いできたのだった。

具体例をあげると、人事制度そのものがなかった。

自分のがんばりがどう評価され、どう報酬に反映するのか、あるいは役職ごとにどこまでの権限を与えてもらえるのか、そうした指針が何もなかったのだ。

顧客企業の採用から組織人事までトータルでコンサルティングしているにもかかわらずだ。ひどい話である。

会社を経営していると、プライベートの問題から予期せぬアクシデントが起きるものだ。そうした問題にも適切に対処しなければ水面下で不満へとつながり、離職へと発展する。しかし当時のぼくは、ベンチャーの組織とはそういうものであると勘違いしていた。それればかりか、対応を要求してくるメンバー自身が甘いとさえ思っており、自分への言い訳にすらしていた。

役員はぼく一人で、中間管理職も少ない。

会社の体制をより良くして、事業をさらに成長させたいと思っても、しくみを整えていくためのリソースが圧倒的に足りていなかった。

創業者のぼくが夢や希望を語り、突き進んでいく。そんな背中をメンバーに見せることのみで、かろうじて組織を動かしていた。おそらくだが、メンバーたちはそうした運営スタイルを受け入れ、ある種のあきらめをもって接してくれていたのだと思う。

ミカン箱理論

しかし、物事には臨界点がある。

さまざまなメンバーから、不満が次々と上がってくるようになったのだ。

そうした不満の一つひとつに対して、当時のぼくは憤るばかりだった。

自分に非はないだろうか？　と自らに矢印を向けられていなかったと思う。

結果、至るところで組織崩壊につながる不満が勃発し、組織のコンディションは最悪になっていってしまった。

たとえば、つぎのような声が上がってきていた。

「自分たちのサービスは売り上げを追うばかりではないのか？」

「報酬面や福利面に不満がある」
「社員に対して還元しようとしていない」
「自己中心的な社長が独善的に事業をおこなっている」

正直、辛かった。

いつしか、オフィスから何か声が聞こえてくると、また誰かが不満を述べているのではと錯覚してしまうほどに恐れるようになった。

もちろん、社内の不満の多くはあたっている面もあり、改善を急ごうとした。しかし改善しようにも、そうした声を上げてくるメンバーが協力してくれるわけでは決してない。役員一人＋メンバーという構造では限界だったのだ。

やがて指摘される問題の矛先はすべてぼく自身に向かい、改善を求められる主体も自分のみと思い込んでしまっていた。

経営者として解決するための意思決定をおこない、エネルギーを傾注することはできる。しかしすべての実務に対応するのは現実的に不可能だ。

改善を求めるメンバーの多くは、結果として組織を壊す方向に動いていった。

大量に退職してしまうこともあった。

成長の裏側で、組織の問題は深い根の部分を確実に侵食していった。組織論でよく語られる〝ミカン箱理論〟が発生してしまったのだ。傷んだミカンは箱ごと腐らせる。だから採用が重要で、ビジョンやカルチャーを共有できる人材を組織に迎え入れなければならない。そんな教訓を与えてくれる経営の警句だ。

まさに、組織が腐ろうとしていたのであった。

とあるクレームが発生した際、当時在籍していたメンバーAとのやり取りが物語っている。

A「で？　それがどうしたんですか？」

安倉「あのクレームが起きた際、Aの対応に問題があると感じたから、どうしたらこの件を解決できるのかを今、話し合ってるんだよ」

A「そんなの知りません」

こんなやり取りが頻発するようになる。

別のメンバーBとは、こんなやり取りが続いた。

安倉「今期は〇〇〇〇の売上目標を立てた。どうやったら達成できるか考えよう」

B「その目標を達成する目的ってなんですか？　結局、売り上げばっかりじゃないですか」

安倉「ＩＣＯＮＩＣは国境を越えて働く企業や人を支援するのがミッションであり、会社の存在価値だよね。その価値を最大化するために、ミッションにもとづいた事業をぼくたちは実行している。収益を上げることは企業としての使命なんだ。収益性のない事業では再投資もできないし、みんなの給料も出せなくなってしまう。逆にどんなことが不満なの？」

B「……」

メンバーBにとっては、ぼくの方向性そのものが気に食わなかったのだと思う。そう思わせてしまった経営者としての器量がいちばんの問題である。

だから余計に辛かった。

自分の無能さを、いやがうえにも突きつけられる。

組織が崩れていく音が、リアルに聞こえてくるようだった。

屈辱

そんな最中、別のメンバーから耳打ちがあった。

どうやら、問題を起こしているメンバーAとBが裏で結託し、ＩＣＯＮＩＣの本業である人材紹介を自分たちのビジネスとしておこなっているというのだ。

すでにメンバーＡは退社している。

メンバーＢとは話し合いの結果、双方合意で一緒にやっていくのは厳しいとの話になっていた。

さらに、彼らが巻き込んでいたメンバーＣも裏で動いていたとわかった。

Ｃは、長年ＩＣＯＮＩＣに貢献してくれていたメンバーだっただけに辛かった。

胸が引き裂かれる思いだった。

ところが、そんなぼくの思いとは裏腹に、Ｃからもいよいよ退職願が出された。

このまま自主退職というわけにはさすがにいかない。他の社員に示しがつかない。

結果、Ｃに対して下した当時の判断は、今であれば間違いだとわかる。

ベトナムでは労働者が法律で強固に守られている。そのため、とくに当社のような外資は労使問題に気をつけなければならない。労使問題で会社側が優位をとるのは難しいのだ。

ぼくは誤った判断をしてしまったのだった。

Ｃを呼び出し、話を聞いた。裏で取り引きをしていた事実を認めたので、Ｃを懲戒解雇した。

その後、Ｃから労働裁判の申し出がなされ、多額の和解金を支払わざるを得なかったのは最大の屈辱だった。

会社に損害を与えた人間を解雇したのに、なぜ我々がＣに和解金を払わなくてはならないのか？

それだけでも屈辱なのに、自らその墓穴を掘ってしまった悔しさが、ただでさえ苦しい感情に覆いかぶさってくるのだ。

これも勉強だと、自分自身に対して言い聞かせるので精一杯だった。

密告の手紙

組織がここまで腐ってくると、密告者が現れるものである。

あるとき、信じて任せていた別拠点の責任者の悪事を密告する手紙が届いた。

「〇〇さんはお金を横領しています。裏で悪事を働いているので調べるべきです」

またあるときには、別の拠点の責任者に対する密告の手紙が届いたこともあった。

密告者の上司にあたるであろうX氏は、表面上では問題なく組織を運営しているように見えるが、裏でセクハラやパワハラをおこない、横領にまで手を染めているとのことだった。

X氏は入社当初、事業に献身的に貢献してくれていた。その後、発言の内容や行動におかしな点が徐々に出てきていたのは事実である。ただ拠点を任せていただけに、どのように対応するべきか苦慮した。

最終的には匿名ではなく、別のスタッフから直接訴えがあった。

X氏は同業他社からヘッドハントされているため退職を考えている。さらにX氏は、当該スタッフに対しても辞めることも含めて検討したほうがいいとアドバイスしてきたといった趣旨の直訴だった。

すぐその拠点に飛び、X氏と面談して質したものの、残念ながらそうした問題は氷山の一角にすぎず、どの拠点でも崖が崩れ落ちるかのように、ボロボロと問題が発覚していったのだ。

正直、人を信じられなくなるような問題が幾度も押し寄せてきた。

ただ幸いに組織が完全に崩壊したわけではなく、一定の範囲内で収まってくれた。当時から在籍し、現在も当社で重要な役割を担ってくれているメンバーも少なくない。

それ以降、採用の基準を一層厳しくするとともに求めるコンピテンシー（行動特性）を明確にし、たとえ能力やスキルが高くても、カルチャーにマッチしない人材の採用はやめることにした。

報酬体系や評価制度も見直し、まだまだ十分とはいえないものの、できる限りの改善を続けている。

組織崩壊での学び

組織崩壊で学んだことがある。

すべての問題が自分に起因しているということだ。

ビジョンやミッションは、ただ掲げればいいというわけではない。

組織のしくみに落とし込まなければならない。

理想を掲げるということは、同時にそれだけの責任や重荷を背負うことを意味する。

組織を目指す方向に自走させるためには、コストもより一層必要となる。

生き抜くために費用を抑えるだけでは組織はイキイキと輝かないのだ。

事業と組織は両輪である。

社会に必要とされる事業（サービス）をおこなっていたとしても、片輪だけでは組織のバランスはとれない。実行してくれるメンバーが理念に共感し、気持ちよく働けるためのもう一方の輪、つまりインフラ（しくみ）を整えてこそ、組織は力強く前進できるのだ。

組織崩壊を経験し、人材会社としての原点に改めて立ち返り、より人事に力を入れる決意をしたのだった。

ただし、問題は組織の崩壊だけではなかった。

複数国で事業を展開しているにもかかわらず、マネジメントの欠陥もあちこちで見え始めていたのだ。

とくに管理部門は脆弱で、経理・総務・人事・ＩＴへの十分な投資やしくみ化がまったくできていなかったといっていい。あらゆることが可視化できておらず、マネジメントにおける人もしくみも未整備だった。

何を確認するにもデータがない。たとえば目標達成を評価するためにＫＰＩ（重要業績評価指標）を取ろうにも、そのためのしくみがない。ナレッジを資産として蓄積し、組織で共有するためのしくみもない。ないないだらけで「がんばれ！」と現場を鼓舞することしかできないような状態だったといえる。


恥ずかしい話、出入金や経理に関する確認も、当時はぼく自身がやっていた。

日本進出のために定期的に帰国するようになっていたあるとき、銀座の会食に向かう最中の出来事だった。

ぼくは、いつもどおり送られてくる現預金のレポートを見ながらふと思ったのだった。

（あれっ？　日本のＡ銀行の口座だけ変動していないぞ）

すぐベトナム人の経理スタッフにチャットを入れた。

「日本のA銀行の口座だけ数か月、まったく変動してないんだけど。自分の感覚的に明らかに乖離があるけど理由わかる？」

「その口座ですが、何か月か前にインターネット銀行にロックされて入れなくなり、アップデートできていませんでした。その件連絡したのですが、社長から返答がなくて……」

「いやいやいやいや……なんで？」

現金口座の残高でかなりのズレがある状態だったのだ。

当時は新規事業の失敗や、人員拡大にともなう支出で現預金が不足しがちな時期だっただけに、焦った。

即座に深刻な問題に発展するようなことではなかったものの、自社の管理体制の不十分さを痛感するには十分すぎる出来事だった。

同時に、すべて自分が手取り足取り指示しないと話が進まない現実に、呆れるとともに深く落胆したのだった。

これはまずい。

事業の勢いに、組織がまったく追いついていなかった。

次男の難病発症

組織の問題に翻弄されていた2016年3月のことだった。

当時はマレーシアへの進出を控えており、ちょうど現地に赴任する責任者候補のメンバーが着任する直前の出来事だった。

朝オフィスに向かう前に、当時メインで我が家の家事を担ってくれていたパーリーが気になることを言ってきた。

「Sir, Please see Ukyo's behave. I think that it may be something wrong.」

ちょっと次男の宇恭の様子がおかしいと思うから見てくれとのことだ。

我が家の三人目の子ども（長男、長女、次男）で生後6か月を過ぎたばかりの宇恭の様子を覗いてみると、両手を拳で握り、バンザイをするようなしぐさを数十秒したあと、すぐその動作がやんだのだった。

ぼくはとくに問題とは思わずに、「可愛いね」と返事をした記憶がある。

しかしパーリーは、「何かおかしいので病院に連れていったほうがいい」と言う。

そこで、いつも通っている外資系のクリニックに診察に出向いた。

対応してくれたのは、東欧系と思われる女性の小児科医だった。そのクリニックで初めて目にした医師だった。

症状を動画に撮っていたので見てもらったところ、「わからないが安静にしておくように」とのこと。三人目ということもあり、一人目が生まれたときのように過度に神経質にはならず、「いずれ治まるだろう」とそこまで問題視はしなかった。

ところが症状は治まるどころか日に日に頻度を増していったのだった。その後も同じクリニックに足を運んだが、東欧系の先生にはわからない。

1週間後の3度目の診察で、先生から「ホーチミンにある脳神経外科の総合病院でEEGという脳波を測ってもらったほうがいい」とアドバイスを受けた。

少しずつ不安が押し寄せてくる。

何か大きな病気ではないか。

この瞬間から自分にギアが入る。

おそらく何かが起きている。

似た症状をインターネットで検索すると、癲癇(てんかん)の可能性が見えてきた。

しかも素人判断ではあるものの、WEST症候群という難治性の小児癲癇の一種ではないかと特定できた。

しかし、あくまでも素人の見立てだ。まだWEST症候群と決まったわけではない。

その当日に病院の予約を取り、脳波を調べに行った。ところが、脳専門の病院とは聞いていたが、新興国の公立病院にありがちな粗末なつくりで不安がより一層増してくる。

脳波の測定が終わり、先生の診察が始まった。

「癲癇特有のスパズム（筋肉が意図せずに収縮すること）が見えます」

「私もそう思っていました。自分で調べただけですが、WEST症候群ではないでしょうか？」

そう聞き直すも、先生はあまり英語が得意ではないらしく、コミュニケーションがうまく図れない。

「とにかく、今はこの薬を飲ませて様子を見てください」

それだけを言って奥に消えていった。

これはまずい——瞬間的に思った。

付け焼き刃で調べた知識だけではあるものの、癲癇はいまだ未解明の部分が多い病気で、表れる症状も千差万別とされている。それぞれに適した治療をしなければならないのはネットの知識だけでも理解できる。

ましてWEST症候群は「難治性の特定疾患に指定されている病気」と記載されている。

つまり日本では治療にかかる費用を国庫が負担してくれる病気だ。

そのうえでもっとも危惧したのは、「WEST症候群は予後80％の確率で精神疾患などをともなう」とされている点だった。

この事実を知った瞬間に絶望的な気持ちになった。

生後半年間、すくすくと育っていた宇恭の将来を悲観した。

心が張り裂けそうになった。

暮らしやすく、大好きなホーチミンの欠点である医療体制の不十分さは理解しているつもりだった。

検査の夜、その日は仕事で多忙を極めていた妻に伝えて夫婦で話し合った。

二人から自然に出てきた答えは、「今から日本に家族全員で帰ろう」。

マレーシア事業に参入する最中で、まさに責任者が赴任したばかり。ぼくも寄り添う必要がある局面だったが、そこは子どもの未来には変えられない。

すぐ準備に取りかかり、翌日の便（日付が変わったすぐの01時発の便）を確保した。

その次の日に別件で東京に出張する予定だったぼくは、飛行機のチケットをすでに押さえていた。そのため、その日は子ども三人と妻をひと足先に見送るべく、タンソンニャット国際空港に向かったのだった。

阿吽の呼吸

そこでまたトラブルが発生した。

当時4歳の長男、2歳の長女、0歳の次男の計三人の子どもと大人一人を飛行機に搭乗させることはできないと、空港のカウンターで告げられたのだ。

もちろん食い下がった。

「チケットは購入できているので搭乗拒否は受け入れられない」と。

しかし、「本件はベトナム航空の規定であり受理できない」の一点張り。

「ではなぜ購入できたのか？」と尋ねると、「代理店に確認してくれ」との返答。

代理店は、オンラインチケットサービスのエクスペディアだった。

これは無理だ……。

エクスペディアのカスタマーサポートが搭乗の時間までに対応してくれる可能性が天文学的に低いのを知っている人は多いと思う。

「代理店に確認してくれ」と言われた時点でカウンターでのやり取りはあきらめ、しかし空席がまだあるとわかったその瞬間、ぼくは妻と顔を見合わせ、無言で走り始めたのだった。

とある日本のビジネス雑誌に夫婦でインタビューを受けた際、「もっとも印象深い出来事は?」との質問でも、〝あの瞬間〟が思い出されたほどに必死だった。

あのとき、ぼくは妻にひと言も発することなく、パスポートを保管している自宅に向けて、文字どおり一目散に駆け出した。東京出張のためにすでに手配していた飛行機はあきらめ、ぼくも家族と同じ便に乗って帰ると瞬間的に決めたのだ。

時刻は23時30分を回った頃だった。

飛行機は翌01時発。離陸まで残り1時間30分。タクシーで往復すれば、1時間強でなんとか戻ってこられるはずだ。

妻が先に空港でチケットを購入し、さらに空港スタッフの誰かがぼくの代わりに特別にチェックインしてもらえるよう手配してくれれば、間に合うと判断した。

瞬時に思いついたこれらの内容が、何も言わずとも妻と阿吽の呼吸で一致し、ぼくは走り出したのだった。実際、タクシーの中で妻にメッセージを打つと、すでにチケットを買ってくれていた。

夢中で走った。一日も早く、日本に家族を送り届けなければならない使命感に駆られていた。

使命をもった人間が強いのか、運が味方してくれたのかはわからない。ぼくは離陸する15分前に空港に到着し、家族五人で無事に飛行機に乗ることができ、中部国際空港に全員同日に到着できたのだった。

帰国前、癲癇を治療できる日本全国の病院リストを作成していた。

中部国際空港に到着後、病院リストを手がかりに即座に予約取りの電話をかけ始めた。

起業で培った事業開拓とまったく同じだ。

新しいことをする際に大事なのは情報収集とアポ取りなのだ。

専門的な治療は紹介状がないと受けられないと、一般的には認識されている。

しかし今回の件でそれは違うと学んだ。難治性が疑われる状況であれば、症状を自ら説明することで受け入れてくれる可能性があると、あるクリニックの看護師が教えてくれたのだ。

「静岡にある脳神経センターが電話診断をしてくれると思う。(ぼくたちが説明した内容によると) WEST症候群の可能性があるので聞いてみたらいい」とのことだった。

翌日の月曜日の朝に架電してみると、的中。当日中の緊急入院を勧められ、妻と0歳の宇恭が二人で向かった。

それから3日間、診察と検査を繰り返し、正式にWEST症候群の診断が下ったのだった。

一刻も早く専門的な治療を受けなければならない状況下で、日本の最先端の病院に最速でたどり着くことができた。

安堵感を抱くとともに、しかしそれは長く続く壮絶な道のりのスタートにすぎなかった。

静岡での学び

静岡てんかん・神経医療センターでの日々が始まった。

生後半年の乳児を抱えての日々は壮絶だった。おもに妻が宇恭に付き添ってくれていたため、ぼくは周辺をサポートするのみだった。

病院にはレストランがなく、食事も患者のみしか出ない。そのため付き添いの両親たちは、売店で買う惣菜パンやお弁当、乾麺などのみ。温かいご飯を食べるのもままならない環境だ。さらに好きなタイミングでシャワーも浴びられないなど生活は一変した。

医師から言われるのは、「長期戦になるのは確かだが、今の時点ではわからない点が多い」ということ。どの程度の長期戦になるかは誰にもわからない。

全国から患者さんが集まるトップクラスの病院のため、重度の障害で入院されている患者さんが多かった。

寝たきりで話せない。

歩くことができない。

発達や知能の遅れがある子も多数いる。

そうした環境で、宇恭の未来がどうなるのか、不安が増していった。

しかし、大切なことを学んだのである。

重度の障害や症状のあるお子さんを持つ親御さんたちの人間性のすばらしさである。

これまでの自分は障害があるということに対して何ら知識がなく、ただ漠然と大変としか思っていなかった。

いざ、自分がその親の立場になったとき、絶望感や焦燥感が最初にやってきたのだ。

その方々の本当の大変さや苦悩は、ぼくにはわからない。

しかし、少なくとも周りで付き添っているご家族の人間的なすばらしさを感じた。

明るく前向きに、大変な状況も乗り越えようとされている。

苛酷な現実を受け止め、向き合っている。人としての強さと優しさをもち合わせた方々がたくさんいらっしゃったのだ。

仮に今後、宇恭に発達や癲癇で問題が起きたとしても、受け入れようと思った。

そうならないよう最善の策を講じるのは当然ながら、もし障害や発達遅滞が残ったとしても、それだけで不幸になるとは決まっていない。

できないことや障害があること自体が不幸ではない。

幸不幸は他人との比較で生まれるのではなく、自身の中で芽生えるものだ。

そう学んだ静岡での経験だった。

長く続く療養のなかで、幸いにも宇恭の癲癇は治まり、半年ほどで完全に退院できるようになった。病院の先生方や、関わってくださった方々への感謝の念に耐えない。

インターン生の死

2008年の創業以来、がむしゃらに突っ走ってきた。

ところが成長の水面下でひずみが生じ、表面化しだしたのが2014年頃の話である。以降、苦しい数年間を過ごすなか、組織崩壊で心身をすり減らして次男の難病まで発病するという、もっとも苦難を感じた2016年が終わろうとしていた。

2016年12月31日の大晦日。

ベトナムでは陰暦で暦が進んでいることもあり、その日も通常どおり業務をおこなっていた。ちなみにその日は土曜日だったが、ベトナムでは半日休にする会社が多い。当社も当時は土曜日を半日勤務にしていた。

とはいえ、そこは日本人である。大晦日が特別な日であることに変わりはない。

心身ともに疲れ切っていたぼくは、ショッピングでもしようと高島屋でランチを一人でとっていた。

頼んでいた餃子とラーメン定食が運ばれてきた、その瞬間だった。

当時のマネージャーから珍しく電話がかかってきた。

何か嫌な予感がする。

通常であれば、最初にチャットが送られてくるはずだ。

いきなり電話がかかってくるとは、何かあるはずだ。

おそるおそる電話をとり、話し始めたのである。

「どうした？」

「今ぼくも連絡を受けたばかりで詳細は把握できていません。しかし、ハノイでインターンをしてくれているTくんが亡くなった模様です」

絶句した。

目の前が白くなり、頭の中で地鳴りのような音が鳴り響く。

震える手を抑えながらぼくは続けた。

「それで、今の状況は？」

「何日間かTくんの休みが続いたので、ハノイのベトナム人スタッフに家まで様子を見に行かせました。通常、休みの際は連絡をくれていたので、おかしいと思ってのことです」

「それで？」

「はい。休む前に頭が痛いと言っていたみたいです。発見された場所は部屋の中で、息を引き取ったあとだったとのことです。ハノイの公安が現在、事件・事故の両面で検証してくれていますが、事件性は低いとのことです」

何があったかわからない。

しかし、大事な当社のメンバーで、未来ある日本の若者が亡くなったことだけは事実だ。

衝撃を受けたぼくは言葉が出てこず、思考もできない。

取り急ぎ、ホーチミンにいるマネージャー陣と状況を共有し、急きょオフィスに集まってもらうことにした。

ハノイの公安曰く、親族による身元確認と遺体の引き取りが必要とのことだった。

履歴書には彼本人の携帯電話番号のみが記載されており、実家や親族の番号はなかった。

議論していくうちに、パスポートを申請する際に緊急連絡先として本人以外の人の番号を登録するはずだと思い出した。

そこでぼくたちは日本のホーチミン領事館とハノイ大使館に電話した。

ところが、誰も出ない。

時は12月31日の大晦日である。

日本の外務省に連絡を入れると、電話がつながった。

電話に出たのは当直の方らしく、対応しようとする姿勢がまったくない。

「とにかく今は年末年始で誰も対応できる者がいない。年明けに連絡してくれ」

そう言い捨てて電話を切られた。

日本人が海外で亡くなっていて、身元確認などの対応が急務にもかかわらずだ。ホーチミン領事館かハノイ大使館に連絡してくれとも言われたが、すでに電話をしたうえでつながらないから外務省に連絡しているのだ。それなら正直、当直担当をつけるだけ税金のムダ、留守番電話にすればいいと憤りを感じた。

ご両親や親族の方につながるための手立てが閉ざされた。
ぼくたちにできるのはただ待つだけになった。
数時間したところで、ハノイ大使館から連絡があった。
ハノイの公安から大使館に連絡が入り、職員の方が担当についてくれたようだった。
パスポートの緊急連絡先に、お兄さんの電話番号が登録されているとわかった。
みんなとの話し合いで、会社を代表してぼくが電話することになった。
正直、苦しかった。
辛い現実を伝えなければならない。
逃げたい気持ちを抑え、自分が前線に出て対応すると腹をくくった。
電話番号を押す手が心なしか震える。
コール音を一つひとつ聞きながら、応答があるか、緊張しながら待っていた。
「もしもし」

一度目の電話でお兄さんは出てくれた。

「はじめまして。Tくんが、ベトナムでインターンをしているICONICの安倉と申します。突然のお電話、失礼いたします」

「はい。どうされましたでしょうか？」

「突然のことでお伝えしづらいのですが、Tくんが今朝、滞在先で亡くなっているのが発見されました。まだ詳細はわからないものの、公安が調査しています。ご両親に連絡をさせていただきたいのですが、連絡先を教えていただくことはできますでしょうか？」

お兄さんは、取り乱すことなく話を冷静に聞いてくれた。

「ちょうど今、両親と外出しているところなので伝えます」

「承知しました。もう一点、ハノイの大使館の方からお聞きしたのですが、親族の方にご本人の身元確認とご遺体の引き取りをお願いされております」

「わかりました。一旦、両親と話をして折り返します」

「承知いたしました。お待ちしております」

緊張で声が上ずりそうだった。

何をどう伝えればいいかわからなかったのだ。

その夜、つまり2016年の大晦日のことは一生忘れない。

公私ともに疲弊し、今にも心身ともに崩壊しそうだった1年の終わりに、最大級の試練がやってきたと感じた。

ぼくたちにできることは他に何かなかったのか？

もしTくんの亡くなり方に問題があったとしたら？

自問自答と自責の念が頭の中を巡った。

自宅でつけていた日本のテレビの紅白歌合戦が頭に入ってこない。

どんなことがあっても熟睡できるのが自慢のぼくも、その日は寝つきが悪く、寝たのか寝ていないのかもわからない状態で元旦を迎えたのだった。

２０１７年1月2日、ご両親がハノイに到着された。

ぼくも2日にハノイに行き、ご両親を迎えて行動をともにした。

公安で状況の説明を聞き、行政解剖がなされることになった。

状況から事件性は低いものの、亡くなった理由がわからないため、行政解剖によって理由が判明する可能性があるとのことだった。

その後、遺体安置所で身元確認をおこない、荷物の引き取りのために滞在先に向かった。

ここまでお二人は取り乱すことなく、初めて来られるベトナムで冷静にご対応をしてくださった。

異国の地で亡くなった若き息子さんを思うご両親といると、ぼくはもう心が張り裂けそうだった。

最後の荷物を引き取り、初日の予定をひととおり終え、帰路についていた。

夜になり、一日中行動をともにするなかで、お互いに少しずつ打ち解け始めていた頃だった。

何も食べておらず、全員で夕食をとろうという話になった。

レストランに向かう途中でお母さんがおもむろに話し始めた。

「あの子はね、昔から行動的でいろんなことに挑戦する子でね。三人兄弟の中でもとても優秀で、明るくて、本当に自慢の息子だったんですよ。本当に……」と泣き笑いながら教えてくれた。

ただ号泣するのでもなく、笑いながら息子さんについて話す彼女を見て、ぼくは涙をこらえることができなかった。

現実を受け止めるご両親を心から尊敬した。

その日、Tくんの生い立ちやこれまでの話を聞きながら夕食をともにした。

ただし、行政解剖の結果が出るまでは、気を緩められなかった。

結果が出るまでの数日間は、緊張感をもって過ごしていた。

結果として、内発的に心臓に問題が発生して亡くなった可能性が高い、つまり例としては心筋梗塞等という結論だった。

第 7 章

BORDERLESS

リボーンズ
―生まれ変わるたび、ぼくたちは強くなる―

新型コロナウイルス

２０１４年頃から表面化し、対応に追われた組織の問題に加え、突如直面することになった次男の病気、そしてインターン生との別れの苦しみ――仕事とプライベート、ともにさまざまな局面にさらされた期間を乗り越え、事業が成長期に入った頃だった。

１週間後にテトを控え、家族みんなで帰国する予定が迫っていた２０２０年１月下旬。ぼくはレタントンのヘムにある岐阜屋という日本の定食屋で一人、昼食をとっていた。カウンター越しのテレビにワイドショーのミヤネ屋が映し出されている。ランチでもたまに日本食が恋しくなるもので、何気なくテレビに視線を向けながら刺身定食を食べていた。

しばらくするとレポーターの声が耳に入ってきた。

「武漢で未確認の新型ウイルスが猛威を振るっています！」

何やら一大事のようである。

そのレポーターの声を耳にした瞬間に直感で不安になった。

（まずいことにならなければいいのだが……）

ベトナムや中国ではここ数十年、ＳＡＲＳ（重症急性呼吸器症候群）や新型インフルエンザなどの感染症が発生した際、厳しい対応を取ってきていたからだ。

悪い予感は、ぼくの予想をはるかに上回る事態に発展することになった。

2020年2月中旬の時点で、ベトナムではナイト業態のバーが営業停止になり、その後レストランやカフェの営業時間と人数規制が入り出し、3月には全停止になった。出入国は3月頭の時点で制限され始め、中旬には完全に閉ざされた。3月末には社会的隔離が宣言され、社会活動がほぼ停止状態に陥ったのだった。

ベトナム政府はゼロコロナ政策を発表。少しでも感染者が出た時点で当該エリアをロックダウンし、接触者の接触者までも隔離させるほどの厳しい措置を講じた。

ぼく自身は新型コロナの感染症に対する恐れはゼロだったが、政府の対応と社会情勢に対する得体の知れない恐怖がつきまとった。

ぼくたちが展開しているアセアン各地のシンガポールやマレーシアでも同様、ベトナムと似たような社会隔離やロックダウンがおこなわれた。一方、インドネシアでは、逆に緩い対応だったがゆえに感染者数が当初から激増した。

日本事業も同様に実被害が大きく、すべてが裏目に出る状況が続いた。世界的な未曽有の状況になす術なく、ただ目の前のことに集中するだけだった。

先を見通せない苦しさ

国境を越えてビジネス展開する日系企業に人材サービスや日本人の転職支援をおこなうＩＣＯＮＩＣにとって、打てる対策は限られていた。

ぼくは当時、ほぼすべての事業部門と管理部門をスタッフに引き継いでいた。そのため実務がほぼなく、経営者としての意思決定に集中できる状態だった。ビジネスの新たな種を蒔き、会社全体にプラスを生み出す役割である。

しかし目下、社会的な隔離がなされ、国境を越えた移動はほぼ不可能な状態。海外事業に対する新規投資も一斉にストップした状況となり、人材需要が激減した。

経営者のぼくが自ら先人を切って何かを先導できない状況で、ただ現況を見守りながら、つぎの一手をどう打つべきか、考えるだけの日々が過ぎていった。

アセアン事業だけでなく、日本の事業も同様に大ダメージを受けた。

グローバル事業を牽引するための日本人材の紹介にフォーカスしていたため、国境が閉じられ、先行きが見通せない状況下で日本国内でのグローバル人材需要もたちどころになくなってしまったのだ。

当面のキャッシュアウトに対して腹をくくらなければならないのは明白だったのである。

人は、目の前にどれほどの苦難が立ちはだかっても、それ自体には耐えられる生き物だと思う。

コロナが辛かったのは、先行きをまったく見通せなかったからなのだ。

ぼくたちが信じて展開してきた事業、すなわちグローバルに活躍する人と企業に貢献することそのものが否定された気持ちにさえなった。

いつこの状況が終わりを迎えるのか？

それとも終わらないのか？

まったく見当もつかない。

告白すると、ぼくはコロナが広まり始めてから最初の半年弱まで、早いタイミングで終息すると予想していた。

いや、予想するというより、願っていたし、祈っていた。

この状況はどう考えてもぼくたちにとって逆風であり、すぐかじを取るのは難しい。

手の打ちようがなく、事態が好転するのをひたすら祈るような状態だったのだ。

これまでに経験のない事態が目の前で起きている。

しかし考えても乗り越えるアイディアが出てこない。

そしてこんな苦しい状況にもかかわらず、自分にできることがない……。

待てど暮らせど

周りの景色が灰色に見えていた。

見るもの感じるもの、すべてに霞がかかる瞬間がある。

社会全体の空気感や先行きの不透明さに恐怖心が出てきた。

世界でもいち早く社会的制限をかけていたベトナムでは、街の至るところでロックダウンがなされ、レストランを含む飲食店やさまざまなサービスを展開する業態の営業停止が余儀なくされていた。

自社の事業が好転する兆しはなく、悶々としながら数か月を過ごしていた。


最初におこなったのは、不採算部門の出血を止める措置だった。

このままでは、本体もろとも倒れてしまう。

新規投資案件で赤字部門と体力のない事業から整理を始めた。

まずは出血を抑え、生き残るための道をつくるのが先決だった。

事業とは、クールヘッドとウォームハートの両面が必要と頭では理解していたが、整理となると人が関係してしまう。事業の撤退には人との別れがつきものであり、苦しかった。

しかし、自分たちの状況を客観視した際に打つべき対策であるのは明らかだった。

一つひとつ対応するなかで、コストの削減だけでは限界があるとすぐに気づいた。

トップラインの下がり方が尋常ではなかったため、どれほどコストを下げても焼け石に水だったのだ。

ぼくは、既存事業が意外にも早く回復するのではないかと、どこかで淡い期待を抱いていた。もうすぐ国境が回復し、経済が活発になると信じたかった。

しかし待てど暮らせどその状況はやってこない。

先陣を切れ

あるとき、メインサービスのひとつだったグローバル人材紹介事業の再建に着手するきっかけができた。当事業は、おもに海外で働くことやグローバル事業に関わる求人をメインに取り扱う部門だった。

コロナを機に、海外で挑戦したい日本人に対する求人は激減したのだった。

しかし整理した事業とは異なり、この事業には構造的な強みがあり、チームを解散することまではしたくなかった。

では、どうすればこのチームを存続させられるのか？

そう苦悶の日々を過ごしていたある日、当時マーケティングの責任者を担ってくれていた枡田から発案があった。

「社長、グローバル人材紹介事業はコロナが落ち着きさえすれば、ある程度のニーズは必ず戻ってきます。しかし、現時点においては明らかに苦しいといわざるを得ない状況です」

「それはそのとおりですね」

「そこで提案があります」

枡田は、これまでにもさまざまなマーケティング案や新規サービス案を立ち上げては、チームを力強く引っ張ってきてくれたメンバーだった。

「社長、日本のスタートアップ・ベンチャー企業向けの人材サービスを始めましょう」

「なるほど。IT系企業やベンチャー企業の採用課題はたしかに大きい。けど、競合も多いしどうだろうな……」

ぼくが懸念を示すと、枡田は身を乗り出してきた。

「社長の友人やネットワークにはどういう方が多いですか？　ぼくは上場・未上場問わず、いわゆるIT企業の経営者が多いと感じていますが。社長自身も一人で会社を立ち上げ、ここまで大きくしてきた実績がある。ベトナムにはITオフショア開発企業が無数にあるので、日本とベトナムのつながりを考えたら、日本国内のスタートアップ・ベンチャー企業向けに人材サービスを提供するよう方針転換しましょう」

「つまり、それをぼくにやれということですね」

「はい。そういうことになります」


昼食をとりつつ、冗談のような本気の笑顔を見せる枡田を思い浮かべながら、ぼくは考えた。


彼の提案が頭の中でぐるぐると回り出す。

やがて、自分の中で何かが沸き起ころうとしているのを感じた。

これかもしれない！

危機の際に後ろで構える大将ではなく、現場の最前線で組織を鼓舞するほうが自分には向いているのではないか。

何より、手持無沙汰で実行策に飢えているぼくには、自ら先陣を切って取り組む時間は十二分にある。

今、自分はこれをしなければならない。

創業10年以上を経過してきた、1年目のような怒涛の営業攻勢を仕かけることになるとは思いもよらなかった。枡田から話があったその数時間後には、片っ端から営業を始めていたのだった。

自ら率先して営業し、次々と面談に励むぼくの姿を見て、奮起する声が社内のあちこちから上がり出した。

自分も絶対に負けません！

そう言って立ち上がってくれるメンバーが続々と現れ始めたのだ。

そんなメンバーたちに力強さを感じながら、ぼくは本気でなりふり構わず、縦横無尽に動きに動いた。

日本国内向けのスタートアップ人材紹介事業を安定稼働させることが、コロナを乗り切る大きな転機になると確信したからだった。

とにかく案件を取り続けた。おそらく普通の営業マンの5倍以上の働きをしたと思う。

潰れる会社とは

この話には、一方で経営者としての葛藤があった。

経営論の中で、常に忙しくしている社長の会社はいずれ潰れるとの鉄則がある。

そのため自分自身は業務をできる限り抱え込まず、会社の成長のために動ける体制にシフトしてきたこの数年だったのだ。人材を含めた経営資源を最大限に活かし、事業の成長角度を大きくすることこそが社長の本質的な役割である。

ところが、今ぼくがやっているのは現場復帰。

社長の本来の役割とは真逆だ。

それでも自ら汗を流して案件を獲得し、細かな業務までやり切るのだった。


あるとき、そんな葛藤を吹き飛ばしてくれるほどの言葉を友人の経営者がかけてくれた。

その友人と話すと、当社以上にコロナの打撃を受けている状態だとわかった。見込んでいた売り上げがほぼゼロだと、現場から打ち明けられたというのである。

ところが彼は心が折れることなく、今できる一つひとつをチャンスととらえ、その後の大躍進につながる新たな施策に着々と取り組んでいたのである。

売り上げがゼロになってもなお、これほど元気に前を向いている友人を見て思った。

ぼくはなんて甘えていたんだろう。

いや、本音を言おう。

この友人の状況より、ぼくのほうがマシだと思ったのである。

人生訓がある。


人生が上向いているときは、上には上がいることを知る。

人生がどん底にいると感じるときは、下には下がいることを知る。

共通しているのは、自分なんてまだまだと戒められる点だ。

まさにその瞬間だった。

心が折れそうになるほど辛い日々の連続だったが、彼を見て元気が出てきたのだ。

この友人が元気でいられるのなら、自分も立っていられる。

今できることをやろう。

そして、そんな彼が何気なく放った言葉が、さらにぼくの背中を押してくれた。

「多くの会社の栄枯盛衰を見てきたベテランの経営コンサルの方に、どういう会社が最終的に潰れたか聞いたんだよ。すると、危機のときに社長が働かなかった会社だって言うんだよ」

この言葉が心に刺さった。

これで、いいんだ。

今やれることに全力で取り組み、やり切るんだ。

新たな事業開拓のために、ありったけの力を注いだのだった。

ピンチはピンチであり、チャンス

コロナが蔓延する社会に入る少し前から、事業と組織が成長していく一方でぼくは焦り始めていたのだった。

売り上げや組織は拡大していくものの、中身がともなっていないと感じていた。具体的に何が問題で、どうすればいいのか？

それがわからないので余計に不安になるのだ。

表現が難しいが、一人ひとりの行動が単発的になり、有機的に結合した集合体にならず、結果として組織に遠心力が働いてしまっている状態だった。

ぼくたちのようなリソースのないベンチャー企業にとっては、一人ひとりの行動が求心力を生み出さなければならない。

さまざまな本を読み漁り、先を走る経営者に話を聞きに行き、自社と自分の問題点を深く探っていった。

しかし、模索の向こう側に光明を見いだせない数年を過ごすなか、コロナがやってきたのだった。

至るところで問題や課題を抱えていたので、それらをコロナが待ったなしであぶり出した。いやがうえにも手をつけなければならない状況に落とし込まれたのだ。

「ピンチはチャンス。すべての大変な状況も学びに変わり、成長につなげられる」

ぼくは、自分自身にもメンバーにも常にこう語りかけてきた。

しかし、本当のピンチが訪れると素直に思った。

やっぱり、ピンチはピンチだ（笑）。


素直に受け止めよう。

ピンチはピンチ。

そう思わないと心が保てなかった。

苦しいときは、素直に苦しい状況だと受け止めよう。

楽観的な見通しを描くのではなく、単純にピンチである現実を受け止めるのが重要だ。

すると、自然といい意味で開き直れる。

明らかに状況が悪いので、無理に背伸びをする必要がない。

今できることに一つひとつ、取り組むしかなくなるのだ。

事業成長ではなく、膨張を続けてきたぼくたちの問題や課題を鮮明に浮き彫りにしたコロナは、解決に向けて切り込まざるを得ない状況にぼくたちを強制的にいざなってくれたのだ。

強制停止された経済活動、激減する売り上げ……これまで築いてきたものが崩れていきそうななかで、厳しい意思決定を下さなければならない状況へと自然と流れていった。

経営管理の仕方を変え、

ＫＰＩを変え、
経営ダッシュボードを変え、
赤字部門から撤退し、
組織をスリム化し、
事業の中身を再編し、
やれることをやり切った。

戦国武将におけるしんがり戦のような気持ちだった。

ケツに火がついている。

だから何が何でも生き抜くんだとの思いで改革を成し遂げた。

新たな事業にピボットし、新規で売り上げを立てるチャレンジもした。

バケツの水が抜けていくのを片手で止めながら、新たな蛇口を探すような思いだった。

今やれることは、思いつく限り実行した。

残ったメンバーで一致団結し、やれることに全力で取り組むなかで、会社のしくみがより良く生まれ変わっていったのだ。


つまり、やはりピンチはチャンスだったのだ。

でも過去に抱いていたのとは違う。

振り返った結果として、ピンチをチャンスにするのだ。

そのときは、ピンチはピンチだと素直に受け入れ、問題や課題に向き合うことが重要だ。

以前のぼくはピンチはチャンスという言葉に逃げて、ピンチの本質的なポイントに向き合うことなく、精神論で乗り切っていただけだったのかもしれない。

人は、困難に直面してこそ成長する生き物だったのだ。

事業を続けていく限り、これからも困難が訪れるかもしれない。

できることなら、やってきてほしくはない。

ただ、乗り越えられるかもしれないという、ちょっとした自信だけはついた。

あきらめない限り、リビングデッドは存在しない

新規事業への挑戦は、同時に失敗の歴史でもあった。

実際、挑戦した新サービスの多くが失敗に終わっている。多くの仲間と資金も失ったが、日本とアジアで事業を営み挑戦するなかで得られた経験や気づきもたくさんある。

それはひと言でいえば、

「あきらめない限り、リビングデッドは存在しない」

ということだ。

ぼくが創業した当時、スタートアップ・エコシステムというしくみは日本では未整備どころか、そんな言葉すらほとんど聞かれなかったと思う。

スタートアップ・エコシステムとは、大企業や公的機関、大学や研究機関、ベンチャーキャピタル（VC）そしてエンジェル投資家などが有機的につながり、スタートアップの創出から発展までをネットワーク全体で支えるシステムをいう。

「エコシステム」とは「生態系」を意味する言葉だ。草木の種が発芽し、土と水と太陽光を養分に生長し、豊かな森が形成されていく自然界の生態系に倣い、ベンチャーが産声を上げて発展していくスタートアップ環境を表す用語としても使われるようになった。

ここ数年で、このスタートアップ・エコシステムの環境が日本を含むアジアで整ってきていると感じる。ベンチャーを育成し、キャピタルゲインを得ることを目的としたVCなどの投資会社や外部投資家に出資を募ることも一般的になってきた。スタートアップ・エコシステムを醸成する意味でも、そうした投資家の存在は重要になっている。

一方で、投資家の間でよくささやかれる言葉がある。

あの会社は、もはやリビングデッドだ――と。

大きく成長もしなければ、潰れもしない。ただ生きながらえている状態を揶揄する言葉である。

もちろん外部投資家の最終的な目的はエグジット（投資回収）である。投資先が大きく成長し、時価総額の規模が拡大し、エグジットしなければ目的が達成できたとはいえない。

投資家側の視点で出口を求めるのは当然のロジックである。

では、起業家側に視点を移すとどうだろうか？

リビングデッドという状態は存在するのだろうか？

人生は、短いようで長い。

一般的なベンチャーやスタートアップ界隈での勝負は5～10年以内である。

しかし、ぼくたちの働ける期間はもっと長い。

20代前半から60代としても約40年はある。

あきらめない限り、志を保ち続ける限り、デッドにはならないのだ。

「商いは、飽きがこないようにやるんだ」

寿司屋をしていた祖父がよく言っていたがそのとおりだ。

ぼくたち一人ひとりの個人の人生に対して、他人がリビングデッドと決めつけることはできない。

だが、自らがあきらめてしまえば、おそらくその時点で〝リビングデッド〟なのだろう。ただ生きていること自体が目的になる状態とは、確かにそのとおりだと思う。自分が始めた事業に対して飽きてしまったり、意味を見出せなくなったりすれば、もはやリビングデッドだと。

40歳を超えた今もまだ、ぼくは何も成し遂げられていない、飢えた状態にある。まだまだ、実現できていないことだらけである。

人生の目的とは何か？

幸せとは何か？

誰でも一度は考えたことがあるはずだ。

ぼくはこう思う。

事業を興して成功したり、お金持ちになったりすることは目的にはなり得ない。収益を増大させ、資産を増やしたりすることは目標にはなり得る。

仮に人生の目的があるとすれば、ぼくは自分が描いた理想の状態になるために、挑戦し続けることこそが最大の目的だと思う。

自分が信じた事業や理想に向けて挑戦し続けている、このプロセスこそが人生の目的だとすれば、心が折れたり、あきらめたりしてしまうことは失敗に値してしまう。

つまり生きて挑戦し続けている経験そのものが人生の目的なのだ。

自分がしたいことや取り組みたいことを見つけ、目指し続けている状態そのものが人生の目的だと気づいた瞬間に、心が晴れた。

他人と比較しすぎることなく、
自分が取り組みたいことに向き合い、
過去の失敗にくよくよせず、
将来の不安におびえることもなく、
ただ、今取り組んでいることに集中しよう。

なぜなら、今を生きること、そのものが人生の目的だから。

第 8 章

BORDERLESS

「世界で生きる」は、
こんなにも面白い！

―エキスパッツ（Expats）の醍醐味―

目まぐるしく変わるベトナムの風景

2009年当時。サイゴン川沿いに位置するホーチミンのビジネスや観光の中心地１区から開発著しいビンタイン区を望む

ベトナムにやってきてからの16年で、ホーチミンとハノイの街並みは言葉にするのが難しいほどのスピードで変わり続けている。

建物、道路、橋、トンネルといった近代建築物やインフラは、ほぼすべてがここ最近でき上がったといっていい。今、見渡す限り目に入る多くのものは、ぼくが住み始めた２００７年当時には存在しなかったのだ。

そんな街並みの変化を目のあたりにしながら過ごすのも、新興国で暮らす醍醐味のひとつかもしれない。

今日通った道が突然工事に入り、数年単位で使えなくなるなんてこともザラだ。

たとえば10年近く前にホーチミン中心部の

2023年1月撮影。左手前のベトコムバンクタワー（2015年開業）やヒルトンホテル（2023年開業予定）のほか、2022年4月開通のバーソン橋（第2トゥーティエム橋）、その向こうにビンホームズゴールデンリバー（2018年開業）やビンホームズセントラルパーク（2018年開業）の姿も

グェンフエ通りとレロイ通りの交差点が封鎖された。その交差点に位置していたのは、タックスデパートとよばれる国営のメインショッピングモール。そのタックスデパートは都市開発のあおりを受けて閉鎖・解体され、今では空地になっている。

東京でいう銀座四丁目が封鎖され、三越が突然閉鎖に追い込まれるといえばイメージしやすいだろうか。

サイゴン川を東西に貫く海底トンネルも数年の期間をかけて開発され、今では街の大動脈として機能している。ホーチミン近郊の港町ブンタオに通じる高速道路が開通したおかげで、2時間半ほどかかっていた工業団地への道のりが1時間弱に短縮された。

高層ビルの建設ラッシュも激しい。

我が家の目の前でビルの建設が始まったと思ったら、なんと81階建て（ベトナムで一番高いビル「Landmark81」。写真のバーソン橋の向こうにそびえ立つ、一番高く突き出たビル。ビンホームズセントラルパークエリア内）だったりした。

さらにその周りにも高層マンションが数十棟単位で同時に建設されていく。建設のつち音が街全体にこだまし、都市の近代化が急速に進んでいった16年だった。

創業間もない当時、精神的にも金銭的にも趣味や余興に割く余裕がまったくない日々が続いた。そんなときは、新たに開発された道をバイクでツーリングし、新しい街並みを見て回ったものだった。

ホーチミンの2区から7区に向けて架かるフーミィ橋が完成したときには、妻と二人でツーリングした。そして最高地点でバイクを止め、ホーチミンの夜景を見ながら思った。

「この街で必ず成功するんだ」

コンテナ船が行き交う川の上から眺めるホーチミンの夜景は、ぼくに感傷的な気持ちを喚起させた。

何をもって成功とするかはわからないが、とにかくやってやるんだ。未成熟で整っていないホーチミンの街と自分自身とが重なったのだ。

バイクでの通勤風景

ベトナムに初めて来た日本人の友人や出張者に現地の感想を尋ねると、みな一様にバイクだらけの風景に圧倒された話をする。

2006年当時の写真。現在はバイク乗車時のヘルメット着用が義務づけられているが、2007年12月に法律が施行されるまでは義務ではなかったので99%の人がノーヘルだった

こちらは法律施行後の2010年当時の写真。少し見にくいがほぼ全員がヘルメットを着用しているのがわかる

通勤ラッシュの時間ともなると、バイクの集団が道路いっぱいに溢れかえる。そして塵と埃にまみれながら、灼熱の中でも日焼け防止のためにマスクと長袖を身につけた姿で颯爽と走り抜ける。そんな彼らの日常は日本人のみならず、すべての外国人が目を丸くする風物詩だ。

バイクといっても、いわゆる日本の原付をひと回り大きくしたスクーターやカブが一般的である。メインの排気量は125cc。日本の原付は50ccなので少し大きい。

そもそも交通ルールが粗雑なので信号を守らないバイカーが多い。というより信号が少ないため、大群の車やバイクの間を縫って道を渡らなければならない。

歩行者用の道も整備されていないことが多く、歩きにくいし危ない。歩行者用と思われる道を歩く場合は注意が必要だ。突然、後ろからバイクが乗り上げてきてクラクションを鳴らされるなんてことは日常茶飯である。

「いやいや、今鳴らすのはさすがに駄目でしょ」と憤っても無駄だ。

そう、ここはベトナム。この国にとって歩行者の存在感は極めて薄いのである。

それほどにバイク大国であることの証明でもある。

ベトナムの世帯あたりのバイク保有率はタイに次ぐ世界第2位で、8割以上の世帯がバイクを持っている（米シンクタンク Pew Research Center 調べ）。

何を隠そう、ぼくもベトナムに来てすぐバイクを購入した。

バイクを得るとベトナムでの生活は一変する。
目的地を決めずに知らないエリアにふらっと立ち寄れる。
路地裏に入り、現地の生活を垣間見ると面白い。

軒先でお茶を飲む老人
裸の上半身をさらけ出すメタボな中年男性
子どもたちが集団で遊びまわる光景
放たれた犬たちが匂いを嗅ぎまわる光景
耳かき屋でくつろいでいる人たちの姿

ベトナムの人たちは家の中で過ごすより、開放された自宅の1階や軒先でくつろぐことが多い。だから深夜以外の一日中、人が外に出ているのだ。
そんな明るい環境に身を置きながら生活できるのも、世界で生きる楽しさのひとつだ。

日本とアジアを行き来する生活の醍醐味

本書では、ぼくがベトナムで起業し、アセアンでビジネスを展開するまでの経緯と悪戦苦闘の日々をお伝えしてきた。

厳しい現実に見えるだろうが、正直に言おう。

はっきりいって、めちゃくちゃ楽しい。

日本とアジアを行ったり来たりする生活は最高にエキサイティングだ。

まず人生そのものが旅のような感じである。

年齢を重ねると出てきそうな一服感や落ち着きみたいなものはまったく感じない。

物事が常に流動しており、固定化された感覚にならないのだ。

日本にいるときには日本仕様のギアが入り、ベトナムに戻るとベトナム仕様のギアに入れ替わる。

外国語を話すときと似た感覚である。

英語を話しているときの自分と、日本語を話しているときの自分とでは人格が少し違う気がする。自分の中に種々さまざまな引き出しがあり、言語や場所や環境によって違った自分の引き出しが出てくる感じだ。

このギアをチェンジする感覚をもつと、精神的にも肉体的にもフレッシュさを保てるのかもしれない。考えが固定化し、心身が凝り固まると柔軟さを失う。

何より、視覚的にも体感的にも異なる国の言葉や文化を肌で感じ続けること自体が楽しい。

日本だけでの生活は、今のぼくには考えられない。

世界で生活していると、日本の良さをより感じるようになるものだ。

海外在住者は「日本に帰国するのが楽しみだ」と口をそろえる。

ベトナムに一人でやってきて起業した頃はオン・ザ・エッジの気分だった。

常に崖っぷちで、何が起きるかわからない。

常に暗闇でジャンプしているような状態だった。

しかし今は、逆の感情をもっている。

日本でも海外でも、両方で生きていく自信がついた面もあるし、生きていけるしくみをつくれた面もある。

両軸でどちらでも生きていける安心感があるのだ。

本当にチャレンジしてよかったと思う。

選択肢をもてるし、安心感があるとより挑戦したくなる。

また別の知らない場所で新たな事業をしたくなる。

そして、また日本に戻り日本のすばらしさを感じ直す。

なかでも、地方を観光した際に感じる日本の自然や文化のすばらしさたるや。

そうして日本を満喫したあと、ベトナムやアセアンに戻ってきたときに感じるエネルギー。

人生が常に旅の中にあるような感覚がずっと続いている。

どこにも根を張りたくないし、知らない自分にもっと出会いたい。

気候や文化や人が異なるという、物理的な違いを感じるだけで出会える新しい自分。

そんな生活を体現するための土台が、コロナによるパンデミックでより整った気がする。

アフターコロナの世界

コロナはぼくたちの生活を一変させた。

国境が制限され、国を越えた行き来が難しくなり、多くのイベントが中止や規模縮小に追い込まれた。

本書を執筆している2023年1月現在においても、インバウンドの観光需要や日本人の海外旅行客はコロナ以前の状態には戻っていない。

こう聞くと、コロナは海外の往来を止め、閉鎖的な社会に戻したと感じるかもしれない。

ぼくの見立ては逆だ。

観光需要や出張需要が完全に戻るまでには数年を要するかもしれない。

しかしコロナによる変化でもっとも大きいのは、「リアルとオンライン」のバランスがアップデートされ、最適化が一気に進んだ点だろう。

直接対面でパフォーマンスが上がることと、オンライン上で完結させることで生産性が上がること、この両者を融合させる社会実験が強制的になされ、結果としてリアルとオンラインの使い分けが世界規模で容易になった。

つまり、リアルで対面しなくても仕事が進む社会に僅か数年で進化したのだ。

コロナ以前まで、ノマド的な働き方ができるのは経営層か、ハードをともなわないモノづくりに取り組むクリエーターなどに限られていた。

しかしフロントセールスやインサイドセールス、カスタマーサクセス、カスタマーサポートなどの仕事がオンラインに切り替わり、目的をともなうコミュニケーションを主とした職種はリアル対面の必要性が大幅に減った。そのため、リモートワークでの勤務体系が圧倒的に増えた。

リアルでの実務は、チームワーク力を上げるための人間関係の構築、アイディア出しに必要となるセレンディピティのような偶然性の創造、あるいはクリエイティビティを発揮するためのコミュニケーションの活性化を期待する場面に限定されるようになった。

商業面談をするには、以前はオフィスに出向く必要があった。移動時間の確保や時間調整のためにスターバックスで時間を潰したりしていたものだ。現在は移動時間が必要ないため、目的をともなうミーティングや面談の件数が飛躍的に増えた。

すでにこうした経験を多くの人が積んでいると思う。

オンラインやインターネットサービスを利用した業務管理に社会が適応したことで、場所に依存せずに仕事ができるようになったのだ。

この社会的な変革は、海外での生活をより容易にさせている。たとえば完全に移住しなくても、1年のある一定期間だけ海外の好きな場所に移動し、ワーケーションができる時代になったのだ。

大きな進歩だと思う。

場所や国を変えるだけで自身の成長につながり、アイディアが生まれる想像的で創造的な感覚を得られるはずだ。

これまで以上に気軽に海外で生活したり、仕事に取り組んだりできる環境が、テクノロジーと社会的なコンセンサスの両面で整ってきたのだ。

あとは、一人ひとりが固定観念をいかに取っ払い、ローカルにとどまる気持ちをいかに乗り越えて、挑戦してみるかだけだ。

日本人として世界で生きる

子どもを現地で生み育てていると、「お子さんの国籍はベトナムですか?」と聞かれることがある。

生まれた場所で国籍を付与するのは出生地主義とよばれる。アメリカなど一部の国のみで採用されている方式だ。

一方、ほとんどの国は血統主義で両親の国籍に紐づいているため、生まれた現地国の国籍が自動的に付与されるわけではない。

これと同様、海外で生活していても一般的な日本人は移民にはならない。その国に完璧に染まるのは稀だ。

その国の方と結婚したりして、本人がその国の現地に溶け込む努力を自らしない限り、日本式やインターナショナル式を軸に現地で過ごすことが多い。ビジネスではベトナム人と過ごし、プライベートでは日本人や日本式の余暇を過ごすといった感じだ。

このバランスは人によるが、いずれにせよベトナムに移住したからといって完全な移民になるわけではない。日本のプラットフォームの中で、日本の事業や経済を現地で実現していることが多いのだ。

この絶妙なバランスがうまくハマると、世界で生きるのがより一層楽しくなるのだ。

逆にいえば、これがうまくいかなければ、残念ながら辛い経験が多くなる。やがて耐えられなくなり、帰国を余儀なくされたりする。

ぼくもベトナムにやって来た当初、このバランスを取るのに苦慮した。ベトナムで事業を興して成功させるためには、必要以上にベトナム人化しないといけないと思い込んでいたからだ。

とくに2007年当時、この国には今ほど日本人がおらず、日本人向けの店もなかったのでなおさらだった。

ベトナム人経営者の知人や友人をがんばってつくり、人脈を広げようと努めたものだった。

しかし、必然性のないつながりはいずれ消えていく。

人脈とは、コミュニティに組み込まれなければならない。

そのためには、まず自分自身が相手にとって価値のある人間にならなければならない。

この要件を理解していなかったぼくは徒労を繰り返していたのだった。

相手にとって価値があり、自分も相手とつながっていたい。

この関係が成立しないと長続きしない。

考えてみるとあたり前だ。

それなりに年齢を重ねたぼくは、ベトナム人や香港人、中国人、韓国人、イギリス人、ドイツ人、インドネシア人、マレーシア人、ルワンダ人といったたくさんの友人がいる。

しかし常に時間をともにして、何かを一緒にしているかといえばそんなことはない。

ある一定の距離感を保ちつつ、何かあればいつだって連絡できる、つながり合える。そんな距離感の友人たちだ。文化を超え、言語を超える友人は、同じ国籍や文化を共有している友人とはまた違った距離感がある。

ぼくはベトナム人でもなければ、ベトナムのみで成功したい人間でもなかったから、答えは明らかだった。

一定の距離感を保ちながら、ベトナム人やベトナム社会と付き合うことで、その国と長く関わっていられる。

もちろんビジネス上ではベトナム人やマレーシア人、インドネシア人、シンガポール人たちと深く関わっている。アセアン各国の人たちは、社内の飲み会や食事会を大事にしてくれるため、定期的にイベントを開く。忘年会や社員旅行でメンバーと関わると、普段とは違う一面を垣間見ることができるので楽しいし有意義だ。

異文化のスパイス

ローカルフードはおいしいものもあれば、信じられないほどまずいものもある。

いずれにしても新たな発見で有意義だ。

普段、日本で食べ慣れたものしか口にしない生活より、知らない場所で知らない食べ物に出合う生活のほうが、人生をより豊かにしてくれる気がする。

ただ繰り返しになるが、普段から冒険のような生活をしているわけではない。

基本的にはベトナムでも日本食や日本式の洋食を食べ、さらにその日の気分によって中華料理、韓国料理、フレンチ、イタリアンなども通い分ける。その合間に、ベトナム料理やアセアン料理を少し食べるといった具合いだ。日本人向けに味つけがなされていない料理も多々あるので、新たな食感やフレーバーに出合える機会も多い。食を通じて異文化を感じることで、日常生活の中にスパイスが加わるのだ。

ちなみにぼくの場合、料理も含めた異文化のスパイスは昼間に感じたい。

ビジネスの場や気持ちがフルオープンのときに異文化に触れることで、より人生の幅が広がる気がするからだ。

一方、夜の場は近しい人たちで楽しむ。

このバランスが心地好い。

刺激と調和。

ホーチミンにいるときは、日本人街のレタントン界隈や在住日本人がよく通うファンビエッチャン界隈に友人と出かける。そして日本食やワインを楽しみながら日頃のビジネスのアップデートをする。

コロナになるまでは、日本から出張や観光に来る友人と交流するのもこうした場だった。日本で活躍するビジネスパーソンや経営者とベトナムで挑戦する友人を引き合わせたりして友人の輪が広がるのだ。

日本からベトナムに移ってきた人は、「日本だけで生活していては接点のなかった人たちと出会えた」と口をそろえる。日本人という共通項があるうえで、異国の地で交流を深めるからこそお互い刺激になり、仲間になりやすいのだ。

海外で暮らしていると、若手と経験豊富なシニア、起業家と大企業の駐在員など、属性の違う知人や友人ができやすいといわれる。マイノリティの中で活躍している日本人という共通点があるからだ。

家族づきあいを通じて新たな人間関係が広がることも多い。

普段、日本だけにいれば知り得ないパターンの友人や知人ができるのも、海外生活の魅力のひとつなのだ。

お手伝いさんの重要性

ぼくたち夫婦はともにフルタイムで働き、日々忙しくしている。

そのうえ三人の子どもに恵まれている。

みんな等しく可愛くて、愛しい。夫婦仲も今のところ悪くない、はず（笑）。

こうして家族で幸せに暮らせているのは、ぼくたちが家事の大部分をお願いしているお手伝いさんの存在が大きい。

平日は毎日、お手伝いさんに来ていただいている。

こうして説明すると、「東南アジアはいいですよね」と羨ましがられることが多い。

はっきり言ってそのとおりだ。

ベトナムを始めとする東南アジア諸国は、お手伝いさんの環境が整っている。

だからこそ、世界で生きる醍醐味はある。

日本にはない良さや住みやすさを発見できたりする。

しかし、本当に東南アジアだからなのだろうか？

本来は、日本だって家事手伝いをアウトソースできるはずではないだろうか？

日本で家事代行やベビーシッターを使わない理由は、もちろんケースバイケースではあるものの、女性側にあることも多いと聞く。家の中に他人を入れたくない、家事や育児をサボっていると思われるのが嫌といった理由だ。それはもちろん女性側の考え方云々の話ではなく、家事代行を使うことに対するマイナスの印象や空気感が社会全体に漂っているのが影響していると個人的には解釈している。


一方で、そんな贅沢をするお金はないと主張する人も多い。

お手伝いさんや家事代行を利用するのはそれほど贅沢だろうか？

社会で必要とされる仕事に取り組み、対価と報酬を得る。それによってできない仕事の一部を依頼する。成熟した資本主義社会では分業は必須である。

分業によって自身の報酬を少しでも上げることに集中し、リソースの足りない部分はアウトソースする。

個人的な体験になるが、ぼくたち夫婦はお手伝いさんに感謝の気持ちをもってアウトソースしているので、子どもたちにも家事を当然のようにさせている。

そんなこともあってか、我が家の子どもたちを見た周囲の方々から「自立（自律）されていますね」とお褒めの言葉をいただける機会が多い。

さらに話は横道にそれるが、無痛分娩に対する偏見もそれに近いと感じている。

麻酔なしの通常分娩で出産したほうが子どもに対する愛情が深くなるといったエビデンスを、少なくともぼくは目にしたことも聞いたこともない。論理的にも懐疑的にならざるを得ない。

家事のアウトソースも同様、家事を他の人にやってもらえれば育児の時間が取れ、子どもとの時間がより増えるはずだ。にもかかわらず、家事を怠る親は子どもを立派に育てられないとの固定観念に縛られている気がする。

家事をアウトソースすることは、洗濯機や掃除機といった便利な道具を使うのと同じく、生産性を高めるための重要なソリューションである。洗濯機や掃除機を使ったからといって家庭を大事にしない発想にはつながらないように、家事をアウトソースしたからといって子どもに対する愛情はなんら変わらない。

むしろ、育児の時間が増え、夫婦の時間が増え、家庭は円満になる。


また一方で、日本では専業主婦になりたい女性が多いとも聞く。

もはや現代の社会構造、経済状況において非現実的な幻想にとらわれていると感じる。

20世紀の発展に少し遅れたアセアン諸国では夫婦共働きがデフォルトだ。

片方だけの収入や資産で暮らしていけるのは限られた層の人びとに限定されている。

夫婦共働きで稼ぎながら、子育ては家族やコミュニティ、そしてアウトソーシングの力も借りながらおこなうのがスタンダードである。

テクノロジーの進化やイノベーションによって社会は常にアップデートしている。いまだ古い時代の常識が残る日本だけで生活していては、このあたり前の真実には気づきにくいのかもしれない。


そもそも核家族化した現代において、子育てをその夫婦だけに負担させるのは無理がある。

人類学的な見地から見ても、ぼくたち人類は大家族や部族といったコミュニティの中で育児をしてきた。夫婦二人だけで育児し、生活することを前提とした設計がなされていないのだ。

一般的な哺乳類は閉経後に母体が死ぬことが多い。女性は閉経後も長きにわたり寿命が残っているのは、子育てを助けるためではないかという説もある。

あるいは人類は、頭脳が発達したために脳が小さな未成熟な段階で出産するよう進化したともいわれている。頭部が極大化したことにともない、出産の難易度が上がるのを防ぐためだ。

出産後すぐ自立し歩行できる哺乳類が多いなかで、人類の乳幼児の場合は手のかかる期間が大幅に長い。人体は、子育てに時間と労力がかかるよう設計されているのだ。

日本も社会全体で、つまり行政やコミュニティ、テクノロジー、アウトソーシングなどに頼りながら子育てできる社会になるのを切に願う。

我が家は少なくともお手伝いさんの力を借りて幸福度が増している。

そして現実として、重大な次男の病気にも気づけた。

本当に感謝している。

イミグランツとエキスパッツ

海外に移り住んで働くイメージを、おそらく多くの人は誤解していると思う。

辞書を引くと、

- **イミグランツ（Immigrants）＝移住者（移民）**
- **エキスパッツ（Expats）＝仕事で海外駐在している人**

と定義されている。

海外に移り住み、その国のローカルに溶け込み、文化も言語もすべて受け入れて生きていくことを移住者＝移民（Immigrants）とする。

対するエキスパッツ（Expats）とは、その国に住んで働いてはいるが、必要に応じて別の国や出身国に移れる働き方、暮らし方をさすととらえている。

この両者には決定的な違いがある。

言語や教育そのものをその国に適応させる移住（移民）は苦労が多いはずだ。

仕事や言語にとどまらず、日常生活や文化そのものも移り替えたり、ハイブリッドで両方大事にしたりするのはハードルが極めて高いといえる。

その国の言葉を単に覚えるだけの話ではない。食事や何気ないプライベートの会話そのものがまったく違う世界で暮らすのである。

自分だけの問題ではない。家族ができれば、子どもたちにもその国の人として生きていく可能性をもたせることになる。

現実的には、経済発展の度合いが低い国から高い国に移り住むと、移住者として生きていくことになるパターンが多い。そのほうが経済合理性が高いからだ。子どもに対しても、親の出身国の教育を異国の地で提供するのは容易ではない。出身国と移住先の経済圏を比較し、将来にわたってより多くの報酬を得られる可能性の高い教育システムを選ぶことになる。

わかりやすくいえば、たとえばアセアンなどの新興国から日本に拠点を変えた場合、多くは日本の教育を子どもに受けさせるケースが多い。日本国内でベトナム式の公的な教育が受けられるケースはほとんどないはずだ。私的なものをのぞけば、現実的な教育はほとんど日本式でおこなわれる。

一方、日本人がアメリカに移動し生活する場合、その多くはアメリカ式の教育を受けさせるケースが多い。全米に日本人学校がいくつかあるものの、各都市にあるわけではないし、日本よりアメリカのほうが経済規模が大きく、英語を習得する合理性が高いなどの理由が要因にあげられる。

　多くの在米日本人駐在員は子どもを現地校に通わせ、土曜日などに実施される補習校で日本語を補完するケースが多いと聞く。

　そう考えると、日本人がアメリカに移り住むパターンは移住に近いと感じる。日本人として、日本というしくみの中で生きていくよりも、アメリカというしくみの中で日系アメリカ人に国籍を変えるパターンが典型的なのだ。

　それに対して、日本人がベトナムやタイなどのアセアンに移り住んだ場合、移住者となるケースは今のところ少ない。あるとしても配偶者（多くの場合、夫）が現地の人の場合だ。もしくは収入のメインのほうに合わせるケースが多いのではないだろうか。

　日本人の場合、日本人学校が各都市に必ず整備されている。そのため、日本人として世界で生きていくのは割と容易だ。

　我が家の教育のケースは、

グローバルで生き抜く力を身につけてほしい
バイリンガル教育
日本人としてのアイデンティティをもってほしい

といった理由から、小学校1年生の途中まではインターナショナルスクールで英語や多国籍の環境（欧米人からベトナム人、韓国人、日本人のミックス）での教育を提供した。その後、日本語や日本人としての文化的背景を習得するために、小学校1年生の途中から日本人学校に編入するかたちをとっている。

移住者としてその国で生きていく場合、我が家のようなケースにはならないと感じている。基本的には子どもにはその国の言語と文化的背景を学んでもらうことが多いだろう。

エキスパッツとして世界で生きていくというのは、我が家の教育を例にあげたように、あくまでも日本人として世界で生きていくイメージだ。

仕事もローカルに依存するより、国を越えてニーズが発生するビジネスを選ぶケースが多い気がする。駐在員としてグローバル展開のビジネスを牽引する職種を選んだり、自身で事業を起こしたり、技術者として世界で活躍したりするなどさまざまだ。

また、エキスパッツとして生きていくことは、移住者として生きていくことよりも精神的・習熟的に圧倒的に難易度が低い。自分のアイデンティティや技術を違う国で試しているだけだからだ。根底から変えなくてもいいのだ。

一方、エキスパッツとして生きていくためには、当然ながらそれを満たすためのリスクテイクや必要とされるスキルを得なくてはならないといったハードルもある。したがってすべての人ができるわけではないのも事実だ。

しかし、そのハードルは多くの人が思っているほど高いものではなく、多くの人がチャレンジしたら手の届く範囲の世界だと思っている。

エキスパッツとして生きていく道を選ぶと、常に日本と世界を意識して両方の良さを得ながら生きていける。エキサイティングで充実した生き方を体現できるはずだ。

エキスパッツとして世界で活躍する力とは

これまでベトナムを始めとしたアセアン各国で生きてきた経験を踏まえ、エキスパッツとして世界で活躍するためのヒントをお伝えしよう。

人材に関わるビジネスを展開するぼくは、これまで世界各国で活躍している人たちを分析してきた結果、つぎの6つの能力や適性が必要だと結論づけている。

---

1. 自分で考える力
2. 私は私であると思える力
3. リスペクトする力
4. 行動力
5. マイノリティ力

6. コミュニケーション力

「1. 自分で考える力」と「2. 私は私であると思える力」について

世界で生きるための障壁として、過去のしがらみや安定的な環境から抜け出す難しさがあげられる。

ぼくたちは誰もが何らかのかたちでフォーマットに準拠して生きている。

義務教育を受け、受験し、就職活動をおこない、仕事を得る。法律やルール、マナーといったフォーマットもある。自分の頭で考えているように思えるが、フォーマットにあてはまる生き方をしている限り、自分は本当は何がやりたいんだろう？　と考えなくても生きていける世の中なのだ。

世界で生きていくためには、過去から継承されてきたこうした考え方を捨てられるかどうかが重要となる。

いい意味で気にしない力が必要だ。

とくに日本の場合、教育のフォーマットから外れることや、前例にないチャレンジを嫌う傾向が強い。「違う」ことに対して本能的に受け入れられないのだ。

これは島国特有の反応かもしれない。建国以来、一度も外来から侵略された経験がなく、人種の多様性に乏しく、比較的穏やかな人が多い特性も背景にあるだろう。

しかし、世界は異例尽くしだ。出会う人、直面する出来事のすべてが、日本人として生きてきた常識からことごとく外れてくる。それは個別事例なのか、その国の文化や習慣レベルで違うのかを見誤ることもよくある。

外国生活をしている、あまり活躍しているようには見えない日本人に共通する口ぐせとして、「ベトナム人は〇〇だから駄目だ」といった論調があげられる。

たしかに、技術や経済の発展をひと足先に享受してきた先進国の人間からすると、未熟に感じる面があるのは否定しない。

しかしエネルギーの量や成長へのパワーは日本よりベトナムのほうが圧倒的に上回っている。物事に対する対処のスピードも、意思決定のスピードも格段に速い。細かい点を気にすることなく、どんどん前に進めていく姿勢は日本人は大いに学ばなければならない。

世界で生きていくためには、日本人としてあたり前に感じていたフォーマットやレールをいったん疑う力が求められる。

先生や先人たちが主張してきた方法論や指針は本当に正しいのか？

正しいこともあるだろうが、自分に置き換えたときに最適なのか？　合理的なのか？

他人に引っ張られて自分の意思を決定していないか？

そうやって自らに問う力が求められる。

自分と他人は違う。そうきっぱりと割り切る力が必要だ。

そのうえで、自らの選択肢に対して一歩踏み出せるかどうかだ。

思うだけでは何も始まらない。何も動き出さない。

自分の頭で戦略や最適解を描き、実行しなければならない。

勇気がいるかもしれない。

自分と他人は違う。自分で自分の最適解を見つけ、さらに選んだオプションを成功に導くための地頭（自頭）が求められる。

「3．リスペクトする力」について

異なる言語や宗教、バックグラウンドをもつ人たちとともに生きていくうえでもっとも必要な能力といっても過言ではない。

まず、一緒に仕事をする仲間やお客さん、パートナーなどの相手がどのような背景でそう考えているのか？　どうして物事をそうとらえるのか？　とその人の立場になって想像することが大事だ。

しかしそれだけでは信頼関係は築けない。相手の背景に思いを馳せるより前に、相手をリスペクトする気持ちが根底になければならない。そうでなければ、異なる文化圏の人たちからは相手にすらしてもらえないだろう。自分が正しいと思っても、その思いが強すぎると耳を傾けてもらえることはない。

相手に理解されるためには、まず自分から相手を理解しようと努めなくてはならない。そして相手を理解するためにも、リスペクトの気持ちをもって向き合う姿勢が大事になるのだ。そリスペクトの気持ちをもって相手を理解しようと務めることで、表面的には現れていなかった一面が見えてくることがある。そうやって歩み寄る姿勢をもってくれた人に対して、相手もその考えやバックグラウンドを理解しようと努めてくれるようになるだろう。

「4．行動力」について

ぼくたち日本人は三日坊主という言葉にとらわれすぎている気がする。

何かを始め、それをやめるのを悪とする風潮が強すぎやしないか。

石の上にも三年。始めたら簡単にはあきらめるな。続けなければ本質は見えてこない――学校教育の場でも先生から口を酸っぱくして言われてきただろう。

たしかに、あきらめない限り、リビングデッドは存在しないとぼくは言った。それはスタートアップの成功と失敗に関することで、ここでの行動力の話とは別だ。

世界で生きていくためには、三日坊主を恐れるあまり、何かを始めないほうが悪い結果につながることが多い。未知の出来事が次々と迫りくる環境下では、考えて計画して準備して……とやっている間にも局面は変わり続ける。速やかに動かない限り、何も物事が解決しないままに終わってしまいかねない。

何事もやってみないことには結果はわからない。

試してみると、何らかの結果が必ず出る。だから軌道修正できるのだ。

三日坊主ウェルカムだ。

やって駄目なら、つぎの施策にトライする。その繰り返しで、より良い成果へとつながっていく。

考え込んで、資料の作成や準備ばかりに明け暮れていては何も進まない。

ある程度の準備が整ったらやってしまったほうが早い。

その結果、起きるハプニングを楽しむくらいの境地で構えていたほうが、世界で生きる醍醐味を味わいやすいだろう。

まずやってみて、出てきた課題や問題に対して一つひとつ思考し、改善し、新たな施策を試してみる。この繰り返しが、未知の領域で力を発揮するために重要な姿勢だ。考え込んで動けなくなるよりも、動いて改善を繰り返すほうが効率もいい。

最近、成功要件のひとつとして「GRIT」という概念が注目されている。根性（Guts）、回復力（Resilience）、自発性（Initiative）、執念（Tenacity）の頭文字をとった言葉で、「やり抜く力」「粘る力」と定義されている。

個人的な感覚になるが、GRITを発揮するためにも行動力が不可欠だ。固定観念にとらわれずにいろんな物事にチャレンジし、GRITしたくなる物事に出合えなければ何も始まらないからだ。

自分には合わないことや嫌いなことにGRITなんて誰もしたくないだろう。

一歩踏み出し、大量にトライしてこそ、GRITするべき対象に出合えるのだ。

「5．マイノリティ力」について

世界に出ていくと当然、マイノリティ側に回ることが多い。

ところが、マイノリティ側でいるのを極端に嫌う人がいる。

よく見かけるのは、気を使いすぎるがゆえ、アウェイの環境が苦手なタイプの人。仲のいい仲間としかつるまない、新たな人間関係の場や環境に飛び込もうとしないタイプの人は、その閉じた姿勢が世界で生きていくうえでのネックになるかもしれない。

ホームでは活躍できるが、アウェイの環境に身を置くと、とたんに力を発揮できなくなる。とくに日本人にはこのタイプが多い気がする。

慣れた仲間と知っている環境であれば心おきなく力を発揮できる。世界で活躍する、世界で生きていくためには、そんな内弁慶からは卒業しなくてはならない。

アウェイの場を積極的に楽しむくらいの姿勢が大事だ。

知らない人とや整っていない環境でも、何とか物事を前進させる力が求められるのだ。

突然のキャンセル、整備されていないインフラ、頼める相手がいない……そんなことは日常茶飯事だ。

知らないからできない。

緊張してできない。

それらは単なる言い訳だ。物事を成功させるためにできることを考え、「Getting Things Done」（物事を成し遂げる）を最重要事項として考える。

島国根性のマイルドヤンキーから脱しなければならない。

アウェイ感が漂うなか、マイノリティ側の自分のペースに引き込むためにどうすればいいか、日々考え行動するのだ。

知り合いや友人がいなければ、なおさら自分が動きやすい環境をつくるいい機会になる。

マイノリティ力を得ると、新たな人脈や新たな場を常に開拓できる。

新たな場や人脈を生み出せれば、それはあなたの人生にとってかけがえのない財産になる可能性がある。

新たなフロンティアを探し求め、挑戦し続ける。そのためにはマイノリティ力を上げなければならない。

マイノリティの場でも結果を出す成功体験を積むことができれば、活躍の場が一気に広がるだろう。

「6. コミュニケーション力」について

海外で生活していくうえで、まずテーマになるのが語学力だろう。

とくに英語力は、日本人の永遠の課題といっていい。日本国内では、至るところで英会話に関するビジネスを目にする。

誤解を恐れずにいえば、世界で生きていくうえで語学力はあったほうがいいが、なくてもなんとかなるものだ。むしろ、なんとかしようというその姿勢こそが大事とさえ思う。

もちろん、一般的な人が英語のネイティブ圏で成果を出すためには、ネイティブレベルの英語力に加えて専門性や特定の知見や経験、技術などが求められるだろう。

しかし、「世界」は広い。

英語が苦手であれば、ベトナムのような非英語圏に来ればいいのだ。世界で生きるうえでは、言葉に縛られるより、どうすれば相手に自分の思いを伝えられるのかを考え、熱意をもってコミュニケーションを図ろうとする姿勢こそが大事といえる。

こんなテレビ番組を見たことがある。出川哲朗が海外で現地の人に話しかけ、ミッションをクリアしていく企画だ。思わず吹き出してしまう〝出川イングリッシュ〟がさく裂するが、物怖じせずに語りかける彼の態度に目を見張った。現地の人と出川流にコミュニケーションを図り、結局、自力で何とかしてしまうのである。

世界で生きるイメージはあの番組に近い。必要に迫られれば、あとから学べばいいだけの話だ。

ちなみにぼくの場合、ベトナムで生活するうえで初級のベトナム語ができる程度だ。最初の1年半ほどは勉強したが、ベトナム語をビジネスレベルに極めるのはあきらめた。

実際、仕事は英語と日本語で事足りる。ベトナム語は生活に支障がない最低限のレベルにとどまっている。

そんなことを気にするより、その国の人の特性をリスペクトをもって理解しようと努め、ともに生きるための姿勢を見せたり、打ち解けたりする能力のほうがよっぽど重要だ。伝えようとするより先に、相手がそのように考える背景を知るための質問力や、聞くための姿勢を大事にしたい。

伝えるために必要となれば、現地に飛び込んだあとに語学を勉強すればいい。

ただし英語は別だ。世界で話す人の数がもっとも多い言語なので、当然できたほうがいい。

といっても過度に構える必要もない。日常会話レベルであれば、中学英語を話せて、聞き取れる力があれば、ある程度のコミュニケーションは成立する。

繰り返すが、大事なのは物怖じしないこと。日常会話程度の語彙力でも、話せるかどうかは問題ではなく、話すことが大事なのだ。

問題は、話せるか、話せないかではない。

話すか、話さないかなのだ。

ここ最近で翻訳や通訳のアプリの性能が飛躍的に向上している。そうしたテクノロジーを利用するのもひとつの手だ。

つい先日、小学生の娘とタクシーに乗車した際、彼女が運転手さんと会話を始めた。

娘はベトナム語がまったく話せないが、親から見てもコミュニケーション能力が高いので普通に会話ができる。Ｇｏｏｇｌｅ翻訳で音声入力しながら、日本語とベトナム語を往復させて20分ほど会話を続けていた。

「なんでタクシーの運転手をしてるんですか？」

「お仕事は楽しいですか？」

「子どもさんは何歳ですか？」

そうやって運転手のおじさんにたくさん話しかけていた。

大事なことなので何度も言う。

コミュニケーションは、話せるか話せないかではなく、話すか話さないかなのだ。

娘から学ばせてもらった好例である。

最初はハードルが高いと感じるかもしれない。

でも自信をもってほしい。日本人は少なくとも義務教育で英語を学んでいるし、大学に進学した人であれば最低限の語彙力は一度は身につけたはずだ。

その状態からある程度話せるようになるのは、それほど難しいことではない。

自分の知っている単語で話しかけよう。

背景の違う世界の人と仕事をしたり、仲良くなったりするために大事なこと。

それは、話す姿勢を含めたコミュニケーション力なのだ。


以上、6つのティップスをご紹介したがいかがだろうか？

難しいなと感じたかもしれないし、なんだそんなことかと思った人もいるかもしれない。

いずれにせよ、ぼくが本書を通じてお伝えしたいのは、一人でも多くの人に世界で生きる楽しさ、海外で起業する刺激的な日々、日本人のアイデンティティをもって国をまたにかけて働く醍醐味、各国の人たちや文化と触れ合う喜びを感じてほしい——ということだ。

君たちの挑戦のその先に、場所や国に縛られずに生きる面白さがある。

さあ、つぎは君の番だ。

その一歩を踏み出そう。

エキスパッツ対談

「Expats（エキスパッツ）」として世界で生きる

―新興国スタートアップの魅力と可能性―

ICONIC Co., Ltd.
CEO & Founder
安倉宏明

株式会社
ジェネシア・ベンチャーズ
General Partner
鈴木隆宏

本書の制作が終盤を迎えていた2022年11月17日。ベトナム、インドネシア、日本の3か国をオンラインで結んで対談をおこなった。話者は、ベトナムで起業し日本とアジアを往復する著者の安倉宏明氏と、2011年にインドネシアに渡り、日本と東南アジアのスタートアップ投資で活躍する鈴木隆宏氏。ともにアジアを拠点に活動する両氏に、日本に縛られることなく、世界で生きる醍醐味や、海外で起業やビジネスにチャレンジする魅力について語ってもらった。（聞き手・文／スタブロブックス）

安倉 宏明

ICONIC Co., Ltd. CEO & Founder

1980年生まれ。

関西学院大学総合政策学部卒業。

大学卒業後、ベンチャー・リンクにてFC本部の子会社立ち上げ業務に携わったあと、ベトナムに単身渡る。現地にて暗中模索のなか、年間500社にわたるベトナム企業に営業・訪問を重ねる。2008年、ベトナム・ホーチミンにてICONICを創業。人材紹介事業、組織人事コンサルティング事業、HRTech事業を日本からアジアにかけて展開。「こえるをうみだす」のミッションのもと、国境を越えて活躍する人と企業をうみだす事業を手がける。ベトナム（ホーチミン、ハノイ）、インドネシア（ジャカルタ）、日本（東京）、マレーシア（クアラルンプール）に事業展開。日本人としてのアイデンティティを大切にしながら世界で働く生き方「エキスパッツ（Expats）」の伝道にも力を入れる。AERA誌（朝日新聞出版）にて「アジアで勝つ日本人100人」に選出。

鈴木隆宏

株式会社ジェネシア・ベンチャーズ
General Partner

1984年生まれ。

早稲田大学スポーツ科学部卒業。

2007年4月、サイバーエージェント入社。学生時代から、インフルエンサーマーケティングをおこなう子会社CyberBuzzの立ち上げに参画。その後、サイバーエージェントグループのゲーム事業に関わり、子会社CyberXにてマネジメント業務に従事。2011年6月よりサイバーエージェント・ベンチャーズ（現：サイバーエージェント・キャピタル）へ入社し、日本におけるベンチャーキャピタリスト業務を経て、同年10月よりインドネシア事務所代表に就任するとともに、東南アジアにおける投資事業全般を管轄。東南アジアを代表するユニコーン企業 Tokopedia（インドネシア）への投資など、多数の経営支援を実施。2018年9月末に同社を退職し、株式会社ジェネシア・ベンチャーズに参画。

日本の3倍の資金が注ぎ込まれる新興国スタートアップ環境の魅力

――お二人は親交が深いと伺いました。まず出会いについて聞かせてもらっていいですか？

安倉　ＩＣＯＮＩＣがインドネシアに出る際、紹介で知り合ったのが最初だよね？

鈴木　そうでしたね。情報交換を含めてお会いし、意気投合した感じ。お互い海外でチャレンジしていると、大変な面も含めて共感できることが多くて。その意味で、海外では志をともにする人同士のつながりが深くなりやすいと感じます。

安倉　オーナーシップをもってビジネスをやっているからこそ、どうすればこの国で成功できるか、現地に溶け込めるか、本気で考えながら生きていくわけで。現地をリスペクトしてビジネスに取り組んでいる人とは相通じるものがあるよね。

鈴木　とくにぼくの場合はローカルに投資をさせていただくビジネスなので。もちろん立場や仕事の内容に限らずだけど、その国で仕事をさせていただいているという姿勢が大切です。

――そんなお二人はアジアを拠点に起業家、投資家として活動しています。新興国スタートアップ環境の魅力や可能性をどのようにお考えですか？

鈴木　２０２１年度の日本のスタートアップへの投資額は約８０００億円（Japan Startup Finance 2021）だったのに対して、東南アジアのスタートアップへの投資額は3兆円を超え（“SE Asia Deal Review Q4 2021 Report”by Dealstreet Asia / Data Vantage）ています。

なぜ日本の3倍以上の資金が東南アジアのスタートアップに注ぎ込まれているのかといえば、市場の成長ポテンシャルへの期待値が高いからです。たとえばインドネシアの人口は約２億７０００万人

（2020年、インドネシア政府統計）で東南アジア全体の約半数を占めます。さらに平均年齢は約30歳と若く、今後も人口増が期待できます。ベトナムの人口も1億人に迫っていますよね？

安倉　最新調査で約9800万人（2021年、ベトナム統計総局調べ）、2024年度には1億人を突破する見込みです。平均年齢も31歳とまだまだ若い国といえるよね。

鈴木　インドネシアとベトナムの2か国だけでも日本の3倍の人口を誇り、なおかつ若い国で今後も人口増が見込まれている。マクロ経済の観点では人口の規模と増加率が重視されるので、そんな将来期待値が投資を呼び込んでいるのが現状ですね。加えて東南アジアでは若者のスマホ所有率が高く、ECマーケットの成長ポテンシャルの高さも魅力です。

安倉　では東南アジアの起業家の顔ぶれについてはどう？　たか君（鈴木さん）はインドネシア人やベトナム人の起業家との接点が多いので聞きたいんだけど。

鈴木　優秀な起業家が集まってきていると感じますね。インドネシアではアメリカやヨーロッパに留学して帰ってきたインドネシア人起業家が増えています。ベトナムの場合、10年前は留学組はほとんど見なかったけど、ここ数年でアメリカに留学経験のある20代のベトナム人起業家がチャレンジし始めていますね。

安倉　起業家としての能力に差を感じることはある？

鈴木　それはないですね。日本であれ東南アジアであれ、優秀な起業家もいれば、そうでない人もいる。ただし、マーケットに対する資金供給量の違いによって起業家の絶対数は異なります。インドネシアではひとつの領域で10～20社のスタートアップが生まれていますが、ベトナムでは現状3～5社程度にとどまっている印象です。今後競争が激しくなっていくでしょうが、少なくとも現時点では、ベトナムは勝ちやすい国とみて間違いありません。

安倉　では日本の起業環境についてはどう？

鈴木　日本もベトナムと同様に一領域で3社や5社程度しかスタートアップが出てきていないですよね。それでいて日本語で事業ができて、VCも多く、上場マーケットもある。そう考えると、日本で起業するのがいちばん楽かもしれません。

日本の閉塞感から抜け出し、海外で多様な価値観に触れよ

――それでも日本を飛び出し、世界で起業やビジネスにチャレンジする魅力があるとすれば？

鈴木　閉塞感から脱却できる点ですね。若くて経済が右肩上がりの国は活気があるから、単純に楽しいんですよ。日本国内にいて息苦しさを感じている人には、ぜひ外の世界を見てほしいですね。

安倉　ぼくが日本を飛び出した最大の理由もそこなんですよね。「明日が良くなっていくだろう」と日々、感じながら生きていけるのは最高に楽しいので。

鈴木　あと多様な価値観に触れる意味でも海外を知るのは大事です。若いうちに異なる日常を知ることで引き出しが多くなり、選択肢が増える。外を見たうえで日本を選ぶのか、海外を選択するのかは大きな違いですから。

安倉　人って主体と客体の中で生きているけど、日本にいると国や自分の置かれた状況を客観視できないんですよね。海外に来れば日本を俯瞰できるうえ、外を知るほど多国間で比較検討できるようになる。

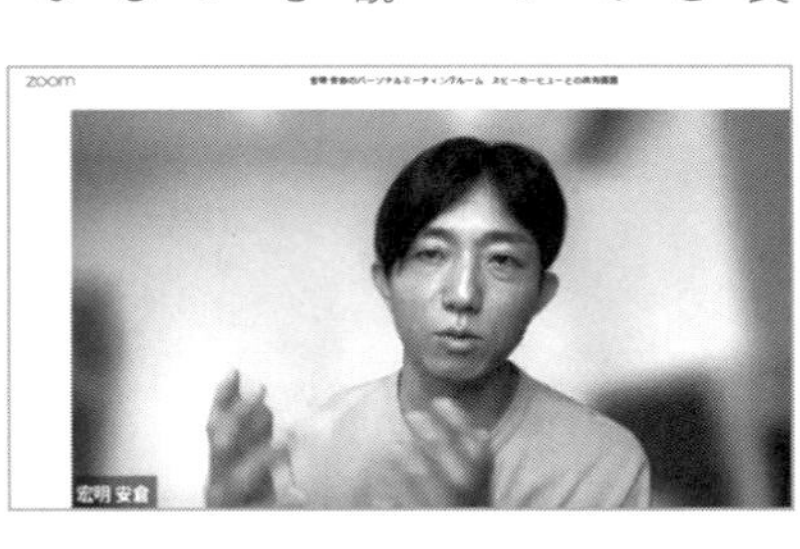

鈴木　違いを知るためには、まず海外旅行からでもいいですよね。昔は東南アジアは物価の安い国でしたが、今来てみると思った以上に高いと感じるはず。安倉君が言うように、今の日本を相対的に感じる機会になり、視野がぐっと広がります。

安倉　結局、ぼくは単純に海外が好きなんです。学生時代からニューヨークやイギリスに留学したり、トルコに行って美人の多さに感激したり（笑）。圧倒的に違いを感じながら生きるのって、究極的には人生の目的なんじゃないかって思うくらいで。

鈴木　ぼくも学生時代からバックパッカーでアジアを回っていました。今の学生さんはこの3年間、コロナで外に出られなかったと思います。これからどんどん海外に行っていろんな価値観に触れ、視野と選択肢を広げてほしいですね。

「成長のエスカレーター」に乗り、パイを増やすゲームに参加してほしい

――世界に飛び出すとビジネスやキャリアアップの視点で具体的に何がいい？

鈴木　最終的にどの国を選ぶのかは個人の判断ですが、ビジネスの視点でいえば、伸びている国や産業で働くのが大事です。もちろんライバルは増えるけど、市場が拡大しているのでシェアの奪い合いにならず、お互い享受できる部分が大きいので。つまり「成長のエスカレーター」にいかに乗るかということです。その意味でベトナムやインドネシアを始めとした成長国や成長産業に身を置くのが重要です。

安倉　まさにそこですね。インフラが整い言葉の強

みを活かせる日本でビジネスしたほうが楽かもしれないけど、人口が減って経済がシュリンクし、物事を決めるための合意形成も大変。おまけにシルバーデモクラシーで若い人の意見が通りにくく、何か新しいことをやろうとした際のスピードも遅すぎる。そんな日本で上りのエスカレーターをつくるのは本当に難しい。

鈴木　どの国やどの産業でも努力が必要なのはいうまでもないけど、上昇のエスカレーターに乗りさえすれば、産業の平均的な成長速度にあわせてビジネスを拡大しやすいわけです。そのうえで、より努力すればさらなる成長が期待できます。

安倉　日本は失われた30年間、ずっと椅子の奪い合いを続けてきました。そんな日本から飛び出し、椅子を増やすゲームをしようぜ、伸びてるところに行こうぜって。この本で訴えているのは、突き詰めるとこの一点に尽きる。パイを増やすゲームにもっと多くの人に参加してほしいですね。

——これから海外に出たいと思ったとして、各国のコロナの状況は？

安倉　ベトナムでは何の規制もありませんよ。国が開かれた状態に完全に戻っています。

鈴木　インドネシアでは屋内でのマスクは必須だけど、ベトナムと同様にウィズコロナ、アフターコロナの時代を迎えていますね。

安倉　コロナに絡めていうと、新興国は悠長にコロナ対策に時間とコストをかけ続けられないんですよ。つまり日本みたいに〝余力〟がないから、合理的な判断をせざるを得ないわけです。

鈴木　過去積み上げてきた資産を切り崩しているのが日本の現状ですよね。

安倉　大学の卒業旅行でエジプトを旅したとき、思うところがたくさんあったんです。街全体がぼったくり化して嫌な目に遭ったというのもあるけど、ぼくの視点で見た印象では、エジプトは４０００年前につくられたクフ王の遺産でいまだに飯食ってるなと。政治も経済も成熟せず、2000年前にアレクサンドロス大王が世界最古の図書館を建てたのがあの国のピークだったんじゃないかって。このままいくと、日本は第二のエジプトになりますよ。

ポジティブムードに包まれながら世界で生きるのは最高に楽しい

――そんな日本という国に閉じこもること自体がリスクかもしれないですね。実際に日本を飛び出し、エキスパッツとして活躍されているお二人ですが、世界で生きると純粋にどんなことが楽しいですか?

鈴木　シンプルに飽きない、ってことですかね。たとえばシャワーの湯量が日によって少なかったり、そもそもお湯が出ないときがあったり。娘はインドネシアで育っているので、日本に帰ったら「シャワーが痛い」と(笑)。そういう違いを日々感じられるし、ぼく自身、そんな当たり前が当たり前じゃないことが楽しいと思えるタイプなので、結果的に飽きないのかなって思っています。あとは繰り返しになりますが、伸びている国の成長を肌で感じられる点かな。

安倉　ぼくもポジティブなムードに包まれながら生きる楽しさが圧倒的にいちばんだけど、加えていえば住みやすさかな。なかでも東南アジアの人たちは子どもが大好きなんですよ。日本では、子どもが泣くと親が変な目で見られたりするよね。でもベトナムではそんな経験は一切なくて。高級フレンチで子どもが泣きだしても、ウエイトレスさんが抱っこしてあやしてくれる。社会全体で子どもを第一に考える優しさがあるし、多少のことは許容しようぜっていう共通認識のある社会は生きていてやっぱり楽だよね。

鈴木　許容量の大きさは本当に大事ですね。日本はギスギスしすぎている感じがして。子どもと目が合うとインドネシアの人たちはにこって笑ってくれるけど、日本では怪訝な目で見られることがあったり。こっちの人は会計のレジで並んでいても、普通に話しかけてくるから。

安倉　良くも悪くもその土足感が面白いというか。そのほうが気が楽だよね。

迷うより一歩踏み出せ。熱意を燃やせる場を探せ

――最後に、これから海外で起業やビジネスにチャレンジしたい若い人にエールをお願いします！

鈴木　尊敬する故・稲盛和夫先生は、人生成功の方程式として「人生と仕事の結果」＝「考え方」×「熱意」×「能力」という言葉を残されています。日本人は能力を磨こうとする傾向が強い気がしますが、好きでもない分野でスキルを磨いても続かないですよね。だからまず熱意をもてる場所を知る、探す努力が大事で。加えて掛け算なので、考え方がネガティブだとすべてがマイナス思考になってしまう。だからこそ、熱意を燃やせて、ポジティブに働ける場所を探してほしいと、とくにこれから社会に出る学生さんに伝えたいですね。

安倉　その意味で、ポジティブムードに包まれた海外は最適地といえる。

鈴木　熱意をもってポジティブに働ける場所が日本であればそれでいいけど、総じて海外に出たほうが多様な価値観に触れられて、刺激も強いので。ポジティブに熱意を燃やし、スキルを活かすのに伸びている国はもってこいだと思います。

とはいえ、安倉君のように海外で起業するのはハードルが高いのは確かです。海外に出ることをゴールとせず、その先に何があるのか、自分は世界で何にチャレンジして何を成し遂げたいのか、「志」をもつことも大事だと思います。

安倉　ぼくは起業家として動くのを大事にしているので、正直、やりたきゃやりゃいいじゃんって

（笑）。つまりもっと気楽でもいいと思う。海外でチャレンジしたいですって相談をよく受けるけど、悩んで準備ばっかりしてる人は永遠に動かないから。そんなのやりながら準備したらいいんだよ。

鈴木　確かにそうですね。

安倉　ぼく自身、カネなし、コネなし、ノウハウなしでベトナムに飛び込んで、走りながらビジネスをかたちにしてきました。そのうえで15年以上続けてこられたのは、たか君が志の大切さを語ってくれたように「こえるをうみだす」サービスを届けるという志を見つけられたから。でもやってみないと分からないので。リスクを取るしかない状況に自らを追い込み努力すれば、自然と先が見えてくるはず。

鈴木　あとボーダーレスという意味でいえば、インターネットサービスの普及で国という境界線自体が曖昧になっていますよね。国や企業の境界線を越えた働き方や生き方を主体的に選べる時代を迎えています。

安倉　コロナがそのボーダーレス社会の進展に拍車をかけ、これまで以上に日本企業の仕事を海外にいながら手がけやすくなっていくだろうし、その逆もまたしかりで。海外にチャレンジするハードルが、今後さらに下がっていくはずだよ。

加えていえば、海外に興味のある日本人はもっと多いはずなんですよ。日本人のパスポート保有率は約2割って、低すぎるでしょと。新興国で働くと生活水準を下げないといけないとか、そんな人の目を気にせずに、「自分はこうしたい」って気持ちを大切にしてほしい。プライドは自分に対してではなく、自分がやっている仕事や事業に対してもつべきだから。恥なんて捨ててしまって、心の垣根を取り払えば、もっと海外にチャレンジしやすくなりますよ。

エピローグ

BORDERLESS

希望に満ちた
ボーダーレス社会を創る

停滞から抜け出すために

ついに、失われた30年となった。

ぼくが社会人になった２００４年当時はまだ〝失われた10年〟だったが、やがて〝20年〟となり、１９８９年を日本経済の頂点とするならば今年（２０２３年）で34年目。もはや〝失われた30年以上〟といったほうがいい。

１９９０年代初頭のバブル経済崩壊の後遺症ともいえる景気後退と長期不況を受けて誕生した〝失われた○年〟という言葉。なかでも就職氷河期の只中に社会に出たぼくたちは〝ロストジェネレーション世代（失われた世代）〟とよばれた。何とも皮肉な言われようだ。

何が日本の問題なのか？

何が日本の経済をここまで長期低迷させているのか？

人口減少

女性の社会進出の遅れ

労働力不足

少子高齢化社会

シルバーデモクラシー
労働生産性の低さ
ＩＴ化率の低さ
新産業の未発達さ
グローバル化の遅れ
エネルギー不足
長く続いたデフレからのスタグフレーション
安全保障

さまざまな問題があげられる。

すべての問題を単純化し、解決なんてできないのは自明だ。

しかし多くの問題は、日本の人事と雇用に関係していることが多い。

つまり雇用の「流動性」を高めることで多くの問題を解決に導けるはずなのだ。

経済の本質は、需要と供給だと思う。

このバランスを取ることで社会がより発展していく。

日本型経営の典型である終身雇用と年功序列は戦後の高度成長期、経済が右肩上がりの時代に生まれた人事制度だ。戦後70年以上経った現在、メンバーシップ型の雇用はすでに崩壊しているといった論調も多い。しかし少なくとも日本の大企業に限っては、今なお終身雇用と年功序列の人事制度がしぶとく生き残っている。

この旧態依然とした人事制度に縛られ、柔軟な組織づくりに踏み切れない日本企業がなんと多いことか。

労働法も同様だ。極めて厳しい解雇規制が整備されているため、日本企業各社は臨機応変に人員調整ができないのだ。

もちろん、過去にあったような著しく不当な搾取は取り締まるべきなのはいうまでもない。

しかし現在の終身雇用と年功序列を軸とした人事制度を残したまま、激変するグローバル環境下で経営を成り立たせる難易度が極めて高いのも紛れもない事実である。

日本の労働生産性が低い点も同様に人事制度が背景にあると見ている。人の個性や強みを会社の枠を超えて適材適所に配置できるよう、社会全体で変えていかなければならない。

別の視点でも生産性の低さを指摘できる。

一人の人が同じ会社に長く勤めるほどに属人性が増すのだ。組織全体の生産性を高めるためには規格をつくり、しくみに落とし込むマネジメントが求められる。しかし同じ人が長く在籍するほど業務が属人的となり、あらゆる仕事がブラックボックス化しやすくなる。

ある一定の範囲で人材が流動する社会の場合、経済的に合理性が高い選択肢を取る傾向にある。そうでなければ成り立たないからだ。

一方で流動性に乏しい社会の場合、放っておいても人材が定着するため、組織をマネジメントしようとするインセンティブが働きにくい。

雇用も同様だ。雇用の流動性が高い社会では企業は積極的に採用できる。

一方で労働者の権利が守られすぎている社会の場合、経営者は採用に慎重になる。

環境が激変する社会では、その変化のスピードに適応するためにも雇用に一定の流動性が求められる。そうすることで、社会全体でリソースを最適に配分できるようになるのだ。

雇用だけでなく、さまざまな規制もそうだ。

規制産業はグローバル規模では発展しづらい。規制がなく、競争がある業界こそ、世界規模で成長していく。人、モノ、金の流動性を不自然に止めると成長性がなくなる。

閉じていては守りに入るしかなくなる。

今の厳しすぎる解雇規制や年功序列・終身雇用の人事制度をアップデートしていかなければ、社会の変化に即応できず、日本企業や日本人の存在感は世界でますます凋落していきかねない。

こえるをうみだす

一人でベトナムにやって来て創業した。

ＩＣＯＮＩＣのミッションは、「こえるをうみだす」。

国境を飛び越え、海外で、グローバルで挑戦する人と組織に貢献するのがぼくたちのミッションだ。

しかし、コロナを機に気づいた。

ぼくは、そもそも海外で挑戦したいだけなのか？

それだけをやるべきなのか？

改めて自問自答した。

ぼく自身は、見知らぬ街で文化や価値観の違いを理解し、言葉の壁を乗り越えようと努め、何かを成し遂げることに強い関心がある。

しかし、本当にそれだけをしたいのか？

答えは自ずと出てきた。

ぼくは、海外だけで活躍できる人になりたいわけでも、日本が嫌いなわけでもない。

日本人としての誇りを大切にしているし、日本の未来に貢献したい気持ちも強い。

本質的に成し遂げたいのは、シンプルに「社会の発展に貢献したい」ということだった。もっと現実的にいえば、社会が発展していると感じて生きていたいのだ。この思いに寄り添う手段としてＩＣＯＮＩＣを立ち上げ、事業を展開しているといってい い。

東南アジアと日本を比較できる人材ベンチャー経営者として確信していることがある。社会の発展にもっとも重要なのは、繰り返すように「流動性」だということだ。社会の停滞は、流動性が停滞した際に訪れることが多い。日本が失われた30年から脱却するためには、流動性をいかに適正な値にまで引き上げられるかがポイントだと感じている。

たとえば経済番組で、なぜ日本人の給料は上がらないのか？　といったテーマで討論されることがある。多くの経済学者が種々さまざまな理論を語る。おそらくそのどれもが一因にはなっているのだろう。

しかしながら、多くの場合は本質的な雇用の流動性にまでは踏み込まない。多くのメディアがリベラルな政治的思想を背景に番組を構成しているからではと、個人的には想像している。雇用の流動性をもち出すと、解雇規制の撤廃に話が展開しかねないからだ。

ぼくの主張は至ってシンプルだ。

日本経済の長期低迷は、雇用の流動性が適正に担保されてない点が最大の原因だ。

企業は、事業の成長にとって必要な人員が確保されない場合、報酬を上げざるを得ない。一般に優秀な人材の多くは、基本的には安定した雇用環境の企業への就職を希望する。他国の場合は転職を辞さないばかりか、雇用環境が少しでもいい会社を求めてキャリアアップを重ねていく。

一方の日本の場合、まだまだ転職自体のハードルが諸外国と比べて高い。社会全体の中で、転職や雇用の流動性に対して高いインセンティブが形成されているとはいいがたい状況が続いている。

労働市場において、自由度＝流動性をもう少し上げることができれば、日本の状況は少なからず変わるはずだ。

そのために必要なのが雇用環境のしくみの変革だ。

諸外国と比べて厳しすぎる解雇規制。新卒採用制度における一括採用の慣習。退職金や社内住宅ローン制度のように長期間勤務することで得られる福利のしくみなど、旧態依然とした雇用環境が根強く残っている。人口動態が逆ピラミッド型化しているなか、イノベーションによって目まぐるしく変わる環境に適応できる体制になっていないのだ。

単純に考えて、一人の人間が40年近くも同じ会社で働き、高いパフォーマンスを発揮し続けるのには無理がある。

A社で力を発揮できなくなった人材が、別のB社で活躍できる可能性は高い。

同様に、実務のパフォーマンスが低下してきた中高年時に報酬がいちばん高くなる設計は、会社経営の実態とは合わない。合理的に考えて、心技体がもっともワークする30～40代で報酬がいちばん高くなるよう見直すといった合理性をともなった再設計が不可欠だ。

それ以降の年齢で報酬設計が上がるケースがあるとすれば、経営幹部やエンジニアリングなど専門性が高い人材に限定されるはずだ。

もっと早い段階で、高い報酬を出す。そうやって優秀な人材を確保しやすいしくみに変えなければ、グローバルな環境で勝ち抜くプロダクトやサービスが日本企業からいずれ提供できなくなると危惧している。

労働環境に柔軟に対応できるしくみこそが、社会全体の発展につながるのだ。

残念な話をしよう。

以前のアセアン諸国では、日本人や日本企業に対する一般的なイメージは、

「技術力が高い」

「品質が高い」

「礼儀正しい」


だった。

しかし現在では、少しでも日本企業に関わったことがあるアセアンの人たちのイメージはまったく異なる。

ひと言でいえば、

「日本人は非合理的な判断や決断を、時間をかけておこなう人たち」


である。

少子高齢化社会を迎え、生産年齢人口が減り続ける現在においては、旧来の日本型経営はまったくワークしていない。最大の害であるとさえ感じている。

日本社会の流動性に関する課題――ぼくは小さいながらもその解決策のひとつとして、海外に挑戦する人と企業を支援する事業を始めた。苦し紛れで思いついたスタートアップ企業向けの人材サービスも、同様の理念にもとづいている。

新たな技術やイノベーションに挑戦するスタートアップ企業は、社会の流動性を生み出し、雇用やプロダクト、サービスを創出する、社会にとって貴重な存在だ。そんなスタートアップに優秀な人材を送り出すことで、社会の発展を直に感じ続けたい。

そして、「こえるをうみだす」ためのサービスを生み出したいのだ。「世界で生きる」とは、海外で生きることだけを意味するわけではない。「外的に」越えていき（Crossborder）、さらに「内的にも」超えていく（Super）ことで、一人ひとりの人生がもっと豊かになる生き方だ。当社の事業を通じて社会全体の発展に貢献できると信じている。

人を軸としたサービスで、希望を生み出すボーダーレス社会を創るために——。

あとがき

本書を最後までご覧いただき、本当にありがとうございます。

出版の話をいただいたとき、執筆するかどうか当初、悩みました。

いまだ何も成し遂げていない自分が、世の中に向けて本を出すことが果たして正解なのか、少し躊躇したからです。

起業家としてはまだまだ未熟で、本音をいえば、いまだ何もできていない。

しかしスタブロブックスの代表であり、編集者であり、かつて同じ会社で少しだけ時間をともにした高橋さんから、本書のベースになったぼくのブログを読んで出版を依頼したと聞いて決心しました。「安倉君のブログの記事はとても面白く、何より多くの人に勇気を与える内容だと思う」と、熱心に語ってくださったのです。

高橋さんご自身にとっても、ちょうど人生の転機になるような出来事が仕事とプライベートの両面で起きていて、ご自身の人生に重ね合わせて刺激になったとのことでした。

人こそが発展の肝であり、人を軸とした社会のインフラになるような事業を興したい――。

そんな思いを秘め、日本を飛び出して世界で挑戦してきました。

その過程で経験した成功と失敗の数々。そして感じて得た経験の一つひとつをシェアすることが、これから世界にチャレンジしたい日本のみなさんや、若き起業家のみなさんの参考になるのではと、高橋さんから説得されたのです。

世界で挑戦するぼくの旅はまだ始まったばかり。成し遂げられていないことだらけで焦燥感と無力感にさいなまれています。

それでも、何としても達成したい目標と、走り続ける日々の中で得たい人生の目的に向かって、ぼくはこれからも挑戦を続ける。常に立ちはだかるハードルを一つひとつ乗り越えながら、自分なりの未来をつくるために。

一人でも多くの方が、本書を世界に飛び出すきっかけにしていただければ、それに勝る喜びはありません。

２０２３年１月　安倉宏明

【著者】

安倉 宏明（やすくら・ひろあき）

ICONIC Co., Ltd. CEO & Founder
1980年生まれ。関西学院大学総合政策学部卒業。

大学卒業後、ベンチャー・リンクにてFC本部の子会社立ち上げ業務に携わったあと、ベトナムに単身渡る。現地にて暗中模索のなか、年間500社にわたるベトナム企業に営業・訪問を重ねる。

2008年、ベトナム・ホーチミンにてICONICを創業。人材紹介事業、組織人事コンサルティング事業、HR Tech事業を日本からアジアにかけて展開。「こえるをうみだす」のミッションのもと、国境を越えて活躍する人と企業をうみだす事業を手がける。

ベトナム（ホーチミン、ハノイ）、インドネシア（ジャカルタ）、日本（東京）、マレーシア（クアラルンプール）に事業展開。

日本人としてのアイデンティティを大切にしながら世界で働く生き方「エキスパッツ（Expats）」の伝道にも力を入れる。AERA誌（朝日新聞出版）にて「アジアで勝つ日本人100人」に選出。


「世界で生きる」は、こんなにも面白い！

ボーダーレス（BORDERLESS）

2023年　3月25日　初版第1刷発行

著　　者　安倉宏明
発 行 人　高橋武男
発 行 所　スタブロブックス株式会社
〒673-1446兵庫県加東市上田603-2
TEL 0795-20-6719　　FAX 0795-20-3613
info@stablobooks.co.jp
https://stablobooks.co.jp

印刷・製本　シナノ印刷株式会社

ISBN978-4-910371-04-7　C0034　定価はカバーに表示してあります。